D0036034

Les Éditions du Boréal
4447, rue Saint-Denis
Montréal (Québec) H2J 2L2
www.editionsboreal.qc.ca

Les Yeux tristes de mon camion

DU MÊME AUTEUR

Le Moineau domestique. Histoire de vivre, Guérin, 1991 ; Boréal, 2000.

France-Québec. Images et mirages, Musée de la civilisation, 1999.

L'homme descend de l'ourse, Boréal, 1998 ; coll. « Boréal compact », 2001.

Récits de Mathieu Mestokosho, chasseur innu, Boréal, 2004 (en collaboration avec Mathieu Mestokosho).

Les corneilles ne sont pas les épouses des corbeaux, Boréal, coll. « Papiers collés », 2005.

Bestiaire. Confessions animales, Éditions du Passage, 2006.

Bestiaire II. Confessions animales, Éditions du Passage, 2008.

C'était au temps des mammouths laineux, Boréal, coll. « Papiers collés », 2012 ; coll. « Boréal compact », 2013.

Objectif Nord. Le Québec au-delà du 49e, Éditions Sylvain Harvey, 2013 (en collaboration avec Jean Désy).

EN COLLABORATION AVEC BERNARD ARCAND

Quinze lieux communs, Boréal, coll. « Papiers collés », 1993.

De nouveaux lieux communs, Boréal, coll. « Papiers collés », 1994.

Du pâté chinois, du baseball et autres lieux communs, Boréal, coll. « Papiers collés », 1995.

De la fin du mâle, de l'emballage et autres lieux communs, Boréal, coll. « Papiers collés », 1996.

Des pompiers, de l'accent français et autres lieux communs, Boréal, coll. « Papiers collés », 1998.

Du pipi, du gaspillage et sept autres lieux communs, Boréal, coll. « Papiers collés », 2001.

Cow-boy dans l'âme. Sur la piste du western et du country, Éditions de l'Homme, 2002.

Les Meilleurs Lieux communs, peut-être, Boréal, coll. « Boréal compact », 2003.

EN COLLABORATION AVEC MARIE-CHRISTINE LÉVESQUE

Elles ont fait l'Amérique. De remarquables oubliés, tome 1, Lux, 2011.

Les Images que nous sommes. 60 ans de cinéma québécois, Éditions de l'Homme, 2013.

Ils ont fait l'Amérique. De remarquables oubliés, tome 2, Lux, 2014.

Serge Bouchard

Les Yeux tristes de mon camion

Boréal
COLLECTION PAPIERS COLLÉS

Dépôt légal : 4e trimestre 2016
Bibliothèque et Archives nationales du Québec

Diffusion au Canada : Dimedia
Diffusion et distribution en Europe : Volumen

Catalogage avant publication de Bibliothèque et Archives nationales du Québec et de Bibliothèque et Archives Canada

Bouchard, Serge, 1947-

Les yeux tristes de mon camion

(Papiers collés)

ISBN 978-2-7646-2465-4

1. Québec (Province) – Mœurs et coutumes – 21e siècle. 2. Québec (Province) – Conditions sociales – 21e siècle. 3. Indiens d'Amérique – Amérique du Nord. 4. Civilisation occidentale – 21e siècle. I. Titre. II. Collection : Collection Papiers collés.

FC2918.B685 2016 306.09714'0905 C2016-941838-3

ISBN PAPIER 978-2-7646-2465-4

ISBN PDF 978-2-7646-3465-3

ISBN EPUB 978-2-7646-4465-2

Les yeux tristes de mon camion

Je m'apprête à me départir d'un trésor.

Lorsque j'étais jeune, petit garçon à Montréal, j'admirais les camions de la compagnie Miron. Juste ce nom, Miron, donne la couleur d'une époque, les années cinquante, les années soixante, la construction du métro, la construction des autoroutes, l'âge de la pierre et du béton. Il y avait des carrières dans l'est de Montréal, des trous immenses et profonds dans des couches et des couches de calcaire, de la poussière et du gravier, c'était vraiment impressionnant. On aurait dit qu'un grand ouvrage était en chantier, quelque part dans l'ouest de la ville, chez les riches, et que nous, dans l'est, nous étions dans l'arrière-scène d'une construction monumentale. Des camions Miron, il y en avait des centaines et des centaines dans les rues, comment ne pas les remarquer, les aimer, ils étaient rouges et jaune orange. La compagnie les stationnait bien à la vue, les fins de semaine, tous ces beaux véhicules propres, reluisants, alignés en rangées parfaites, comme si on exposait une flotte orgueilleuse. De gros camions Sicard tractaient les innombrables bétonneuses tandis que les camions à benne étaient des Mack, le modèle B des années glorieuses où la machine ressemblait à une machine.

Je parle ici d'un regard d'enfant, de naïveté, d'émerveillement. En plus des camions Miron, je m'intéressais aussi à ceux qui passaient devant chez moi, halant leurs remorques sur le chemin du Roy. Ils s'en allaient aux Trois-Rivières, vers Shawinigan, à Québec et plus loin encore, peut-être. En grandissant un peu, j'ai pu découvrir de nouvelles compagnies de transport dans d'autres quartiers de la ville, je pense aux Mack et aux Autocar de la compagnie Maislin Transport, une magnifique flotte bleu marine qui faisait le trajet Montréal-New York. L'adolescence venue, j'ai eu la chance de découvrir les Mack jaunes de la compagnie Brazeau, qui desservaient l'Abitibi. Ils apparaissaient sur la route 11, la face empoussiérée ou enneigée, selon les saisons, avec des nez et des paupières, un regard discret et résolu, animaux fous de la route sauvage. Que de rêves, que de voyages dans ma tête, que d'émerveillement devant ces visages, ces machines, ces mondes ! L'un traversait les Adirondacks, l'autre bravait les solitudes effrayantes du parc de La Vérendrye, l'autre encore défiait les côtes, les tours et les détours ainsi que les longueurs de la 138 vers Sept-Îles, autant dire le bout du monde. Si la vieille 117 pour Val-d'Or me rappelle les Mack, la 138 pour la Côte-Nord me ramène plein d'images des Autocar diesel de la compagnie Champlain.

Ce sont des souvenirs, bien sûr, de petites vignettes dans le fond de nos mémoires. Cependant, certains de ces vieux camions ont traversé le temps, ils ont survécu pour devenir des pièces de collection. Disons que pour l'œil connaisseur, il y a là de quoi ressentir le plus grand des plaisirs, juste à les contempler. L'esprit cultivé en ces matières de transport, de force, de route, de charge, de gueule (la gueule d'une époque) est prompt à apercevoir un modèle rare, encore plus à en faire un grand cas. Il le mesure, il l'apprécie, il en ressent de fabuleuses émotions, tout comme on s'émeut devant une œuvre d'art. Les vieux camions charrient bien plus qu'une charge utile, ils transportent avec eux des contextes, des bruits, des climats et des atmosphères, ce sont des tableaux et des films, des journaux intimes.

Voici ce qui m'est arrivé un jour, il y a de cela une vingtaine d'années. Je remontais l'autoroute 15 pour la millième fois, comme un vieux saumon la rivière La Fatigue, lorsque j'ai aperçu sur ma gauche un visage qui regardait la route. En fait, c'étaient des yeux. Un camion Mack se tenait là, immobile, comme pour se faire remarquer. Épiphanie, coup de foudre nostalgique, j'étais stupéfait d'ainsi retrouver un camion Mack, modèle B, de l'année 1958, l'image même des plus grands émois de ma jeunesse. J'ai perdu les pédales, comme on dit : ne me maîtrisant plus, j'ai emprunté la première sortie pour revenir sur mes pas et me garer juste à côté de ce camion de rêve qui n'était pas là par hasard puisqu'il était à vendre. On devinera facilement la fin de l'histoire.

J'ai acheté ce camion en ayant le sentiment que je faisais là une des grandes acquisitions de ma vie. J'étais heureux comme un collectionneur d'avions qui met la main sur un DC-3 ou comme un chercheur d'or voyant luire un éclair jaune dans un tas de cailloux. Bref, j'étais en extase. Cependant, ce genre de béatitude n'est pas donné à tous ; on mesure sa grande solitude lorsqu'on réalise que le modèle B de Mack ne remue pas nécessairement le commun des mortels. Je comprends que la valeur symbolique, la connaissance des contextes, les liens imaginaires, l'émotion esthétique, les résonances poétiques, en fait tout ce qui tourne autour de cette machine mythique, sont des réalités qui peuvent échapper à quelques-uns.

Mon camion m'aura rendu heureux. Je le garde depuis vingt ans dans mon refuge d'Huberdeau, comme un vieux cheval à la retraite dans les beaux champs d'un domaine protégé. Il n'a pas travaillé, il n'a fait que tourner pour la forme, ronronner, grogner, il a promené des petits enfants, la famille. Lui et moi avons fait le beau, auprès de ma blonde, auprès de mes amis, qui acceptent cette passion curieuse sans trop porter de jugement. Oui, mon camion m'attend toujours, comme un âne dans le pré, et quand j'arrive de la ville je sais que je vais le retrouver au détour de mon chemin d'entrée, immobile dans l'attente, fidèle. Il me console, me rassure, me fait voyager dans ma tête. C'est un cours d'histoire, un cours de géographie, mais c'est surtout une pièce de théâtre, une soirée de poésie. Jusqu'à récemment, j'avais pour lui des ambitions, de nouveaux pneus, une nouvelle peinture, une bâche, de belles réparations, quelques coquetteries connues et reconnues seulement dans les cercles de camionneurs. Je me voyais vieillir en sa compagnie, faire un petit tour de temps en temps dans les chemins de bois, mes mains sur son gros volant, avec son long capot orné d'un petit chien bulldog, et le bruit de son moteur hurlant comme une bête puissante, rêvant de paysages, de fuites et de chargements.

Mais voilà que tout s'évanouit. Les bêtes les plus belles finissent par perdre du panache ou des plumes. Mon camion est de moins en moins luisant ; moi-même, j'ai perdu du lustre, beaucoup de lustre, la force m'abandonne, je souffre de mes jambes, je ne rebondis plus. Je regarde mon beau Mack et je ne peux plus monter dedans, je ne peux plus tout simplement grimper dans la cabine. Je regarde la forêt et je sais qu'elle m'est désormais inaccessible. Finies les marches dans les sentiers, je me traîne et j'envisage les alentours avec tous les regrets du monde. Tout cela est désormais hors de ma portée. Le routier arrive un jour ou l'autre à ses derniers kilomètres, il doit « accrocher ses clés », le pouvoir de la route lui échappe, l'envergure des voyages aussi. Une chaise lui sera désormais plus utile que tous les projets de fuite. Oui, je m'apprête à me départir d'un trésor, je dois vendre mon vieux camion, l'enlever de ma vue, l'effacer de ma mémoire. Quand je le regarde à présent, je lui vois les yeux si tristes et la fale si basse que je ne peux m'empêcher de le plaindre. Il est le symbole normal de l'usure absurde et de l'imparable obsolescence : tout s'étiole, y compris nos plus beaux rêves.

Quand j'étais jeune, j'avais des idées curieuses, des projets merveilleux, et rien ne pouvait m'arrêter. L'expression même – « lorsque j'étais jeune » – s'aggrave de jour en jour. Pour peu que l'on dure et que notre vie s'allonge, la jeunesse est un pays qui s'éloigne de plus en plus de nous. Ils sont loin, les camions de la compagnie Miron. Aux rêves d'autrefois, à ses projets, à ses désirs, succède le dur apprentissage de la renonciation. Il faut jeter du lest, se départir, vendre son roulant, trancher dans ses naïvetés premières.

S'asseoir n'est vraiment pas facile.

Tout ce qui nous échappe

Le cours de l'eau

La rumeur court que le fleuve nous appartiendrait…

J'ai grandi sur les rives du fleuve, au bout de l'île de Montréal, entre 1950 et 1960. Il était si large, le fleuve, si puissant, toujours changeant, parfois gris, souvent brun, quelquefois bleu. Les grands trembles de la Pointe-aux-Trembles avaient poussé au bord de l'eau sans que personne les remarque, autrement que pour les abattre quand ils étaient trop gros, parce qu'ils étaient trop gros. Des ormes centenaires avaient l'œil sur le fleuve depuis de très nombreux hivers, avant qu'on les fauche eux aussi, pour faire des stationnements ou de pauvres duplex, avec vue sur la rue.

Les grands et les petits navires descendaient et remontaient le courant, les uns vers Québec et l'océan, les autres vers le port de Montréal. Il y avait les bateaux de plaisance, l'*Island King* et le *Richelieu* qui s'en allaient à Tadoussac et au Saguenay, les différents *Empress* en partance pour Liverpool. Des cargos anonymes arrivaient de partout dans le monde, des cargos de bandes dessinées qui ressemblaient au bateau du capitaine Haddock ou du commandant Allan dans *Tintin*. Des barges, des remorqueurs. Au pied du vieux quai Saint-Jean-Baptiste, derrière l'église, quelques petits yachts en bois vernis, de modestes embarcations, des chaloupes, peut-être des verchères.

Oui, j'ai grandi sur les rives de ce grand fleuve. À Repentigny, nous nous baignions dans ses eaux durant les chaleurs de l'été. Les vagues des gros bateaux nous faisaient une manière d'océan. Nous en attendions de belles quand l'eau se retirait à cause du fort tirant : nous savions que des vagues de retour allaient nous faire crier de joie, nous, les enfants. Il était facile de rêver. Le courant charriait des images et des images, je voyais des forêts virginales, des arbres colossaux dont les grosses branches surplombaient l'eau, je voyais des visages cuivrés, des âmes algonquiennes, des esprits bienveillants. J'avais dix ans, mon vélo appuyé sur un orme, et moi assis sur mes chevilles, les mains sur le menton, à regarder passer des fantômes sur le fleuve, des bateaux imaginaires, des canots et des barques, des voiliers, des hérons géants, j'étais comme au théâtre, bien mieux qu'au cinéma. Je me mettais dans la peau d'une vieille quenouille, je songeais aux poissons et aux ouaouarons. J'imaginais des choses enfouies au fond de l'eau, des trésors, des épaves, des objets d'un autre temps.

Les gens pêchaient de la barbotte, des anguilles américaines, des esturgeons vénérables, des maskinongés, des grands brochets, des dorés, de l'alose, de la lotte, de la ouitouche, de la perchaude. Et tout au bout, tout au bas de la chaîne alimentaire, les précieux appâts, les ménés. Il existait une société des amoureux du fleuve. Petit peuple des chenaux, des marais et des îles de l'archipel, il s'en est chassé, du gibier d'eau, il s'en est tué, de beaux canards. Mais aussi, il s'en est noyé, des jeunes gens imprudents. Le fleuve a en mémoire tellement de passages. Tout est passé par là : les explorateurs, les voyageurs, les diplomates des guerres indiennes, les guerriers de Piskaret, les hommes d'Iroquet, les réfugiés wendats, les ballots de fourrures, Pierre-Esprit Radisson, Jeanne Mance, Louis Jolliet, les descendants du Borgne de l'Île, les radeaux de bois. Voilà la route qui mène au cœur de l'Amérique, celle qui conduit aux Grands Lacs, aux Pays d'en Haut, jusqu'à Fond du Lac justement, chez les Saulteux et chez les Sioux. Au Michigan, la tête de ces eaux-là touche aux premiers ruisseaux qui font la source du Mississippi, juste derrière Prairie du Chien, au Wisconsin.

Tout cela aurait pu sentir l'histoire, avec l'école pour nous le rappeler, des cours sur l'eau tout simplement, sa manie de couler, ce qu'elle charrie de mémoire, avec des monuments et des plaques commémoratives honorant le puissant fleuve. Mais il n'y avait rien en vérité. On ne nous a rien dit. On ne nous a même pas enseigné l'archipel de Montréal, l'histoire de la rivière des Prairies, l'origine réelle d'Ahuntsic, l'île Jésus, les Mille Îles, les courants, des rapides de Lachine jusqu'au chenal du Moine. À Pointe-aux-Trembles, à cause de ce silence et de cette amnésie, il fallait imaginer l'âge du vieux moulin à vent, laissé à l'abandon sur un terrain vague entre la rue Notre-Dame et le fleuve. Pas un mot sur sa nature, sa valeur, son passé, son avenir. Cette génération n'avait pas le culte des ruines. Le chemin du Roy, la voie publique la plus ancienne en Amérique, n'avait rien d'une avenue historique. C'était une rue, une simple rue.

Il aurait pu s'appeler Canada, le fleuve. C'est sous ce nom qu'il apparaît pour la première fois dans les archives de l'Europe. Mais il n'a pas eu la chance du Mississippi, qui a gardé son nom algonquien de « grande rivière ». Le mot *Canada* est quant à lui un terme iroquoien dont on discute encore aujourd'hui le sens ; il y a là-dedans une idée de village, une idée de cabanes, autant dire de bâti. Mais peu importe. Le fleuve s'appelle désormais Saint-Laurent. Il faut aimer les saints, il faut aimer Laurent, l'oreille s'habitue à tout. Il n'est pas grand, le fleuve, il n'est pas beau, il est saint. J'ai grandi dans la paroisse Saint-Enfant-Jésus sur les bords du Saint-Laurent. J'ai été plus tard à Saint-Marcel, avant de me marier en l'église de Sainte-Maria-Goretti. Dans le fleuve s'écoulent certainement des eaux bénites, grande réserve des goupillons canadiens-français.

J'ai grandi sur les bords du fleuve, dans la fournaise du progrès. Les entrepreneurs jetaient les débris de construction sur les berges, pour remblayer les battures, pour agrandir les terrains, pour un tout, pour un rien. On faisait disparaître les marais. En fait, le ciel était jaune, l'eau était noire. Il a souffert, ce fleuve, il a souffert tous les martyres de la sainte industrie. Les raffineries, Esso, Texaco, Shell, Fina, fiertés nationales de la prospérité, toutes concentrées dans l'est de la ville de Montréal, déversaient jour et nuit leurs résidus pétroliers directement dans le courant du fleuve, si bien que la surface de l'eau était noire comme dans ce qu'on appelle aujourd'hui un « déversement catastrophique », mais qui s'appelait alors le cours normal des choses. Nous, les enfants du petit peuple, nous nous baignions dans un égout à ciel ouvert tout autant que dans un bassin de rejets industriels. Le mot *écologie* n'existait pas, on le sait bien. La destruction sauvage de la nature battait son plein, c'était l'époque où les plans d'eau étaient des dépotoirs.

À mesure qu'on descendait le Saint-Laurent, le désamour suivait son cours. Dans une de ses plus belles parties, entre Québec et Sainte-Anne-de-Beaupré, on a construit une autoroute, brisant, cachant et insultant le fleuve sur une longue distance, violant ses battures, gâtant des perspectives d'une richesse unique au monde. Les Anglais de l'Ontario et les Américains de la Nouvelle-Angleterre, eux, l'ont trouvé beau en son estuaire, à Cacouna, à La Malbaie, à Tadoussac et à Métis-sur-Mer. Ils s'y construisaient des cottages en 1867, déjà. Le très détestable John A. Macdonald y possédait une maison d'été. Les jeunes Américaines se baignaient, les jeunes Anglaises aussi, on vantait la valeur de ces eaux fraîches, la santé du climat. Les Anglais l'ont même trouvé beau, le fleuve, jusqu'à la Moisie, où ces messieurs exerçaient leurs privilèges exclusifs de pêcheurs sportifs au saumon, et jusqu'à Anticosti, île monumentale et paradisiaque que nos élus de l'époque n'ont pas hésité à vendre à un chocolatier français. Fleuve à vendre, rivières à vendre, îles à vendre, nos tristes élus croyaient représenter un peuple de vendus.

Les Canadiens français, eux, ne se baignaient pas, ils ne chassaient pas des trophées, ils ne pêchaient pas le saumon avec le lancer aristocrate des précieux de ce monde. Sur le fleuve et dans l'estuaire, ils travaillaient, guidaient, transportaient, pêchaient pour survivre. Ils ne parlaient même pas de leurs superbes goélettes, de leur talent pour les construire, de leur génie pour les conduire, de leurs chasses au loup-marin, de leurs pêches à la morue, au maquereau, à l'anguille, à tout ce qui mordait, des chargements de pitounes sur les quais de la Gaspésie ; en vérité, ils ne tiraient aucun orgueil du fleuve. Les gens de ce pays se tenaient pour ordinaires.

Petit garçon, j'ai vu passer à Pointe-aux-Trembles le yacht privé de la reine d'Angleterre, il était bleu, il ressemblait à un trois-mâts. Nous n'aimions pas la reine, encore moins les Anglais, ces garçons malcommodes qui vivaient de l'autre côté de la rue Marien, ces fils des patrons riches des raffineries, mais nous aimions les bateaux et la nouveauté ; nous sommes accourus sur le bord de l'eau pour contempler cette silhouette merveilleuse d'un faux voilier qui ne servait à rien d'autre qu'à promener une famille royale. J'ai compris alors le sens de l'inutilité, du luxe et de l'arrogance. Nous avons vu passer des bateaux de guerre, ils étaient gris, lisses et propres, ils étaient beaux, et nous étions inquiets de les voir se salir en remontant des eaux aussi noires et huileuses.

J'ai aussi souvenir des régates, des courses de petits

yachts rapides. En ce temps-là, ce n'était pas donné à tout le monde d'avoir de puissants moteurs hors-bord. Nous aimions ce bruit infernal, car le son des moteurs était impressionnant. Il faut dire que ces courses étaient de gros événements. Nous étions loin des *speedboats* et des motos marines qui sévissent aujourd'hui sur le fleuve, de ces malpolis heureux qui prennent d'assaut la place durant les plus beaux jours, qui terrorisent les familles de canards et d'outardes, qui énervent les hérons et les rats musqués, en plus de faire monter le taux de décibels à des niveaux insupportables pour les paisibles riverains.

Depuis toutes ces années, nous n'avons pas beaucoup changé, nous persistons à ignorer ce fleuve qui devrait être sacré. Nos jouets, nos outils, nos comportements sont différents, mais en général notre insouciance est semblable aujourd'hui à ce qu'elle était hier. Le fleuve, un terrain de jeu, mais à quoi jouons-nous ? Est-ce un plan d'eau réservé aux plaisanciers à moteurs puissants, aux pétarades des *seadoos* ? Le fleuve appartient-il encore aux pétrolières et au pétrole, au gouvernement fédéral ? Aux armateurs ? Nous avons creusé ses chenaux pour augmenter le tonnage des navires, nous l'empêchons de geler en hiver pour prolonger la saison de navigation, nous voyons à présent de longs bateaux qui s'en vont dans les Grands Lacs, nous admirons des bateaux de croisière de plus en plus gigantesques, nous nous étonnons des cargos hauts de vingt étages de conteneurs dont on se demande combien sont tombés à la mer durant le trajet.

Nous aurons bientôt, dit-on, une stratégie maritime, mais aucun parti politique n'a pensé à rédiger une charte du fleuve, nous n'avons même pas une charte de l'eau. Se pourrait-il qu'en plus, à présent, nous soyons disposés à vendre l'eau ? Sommes-nous prêts à nous vendre en vrac et en bouteille, jusqu'à la dernière goutte ? Si nous disposions d'une charte de l'eau, si nous songions à la nationaliser, si nous savions trouver les mots pour nous saisir du fleuve, nous aurions entre les mains le parchemin de nos souvenirs, le contrat de notre avenir et, surtout, un titre de propriété. Avoir accès au fleuve, pour l'aimer et bien le fréquenter, c'est l'équivalent d'une déclaration d'indépendance. Une voie d'eau, des voitures d'eau, des canards, des quenouilles, de l'esturgeon, des plages propres, des milieux humides, des bélugas, des parcs, des bateaux, des ponts à nous, de beaux ponts, chargés d'histoire, bien entretenus, peinturés, illuminés, solides.

Enfant, je regardais le fleuve. Sans le savoir, je voyais passer le temps et, dans son cours, tout ce qui allait nous échapper.

La fougère et l'astragale

Ces derniers jours, je me suis pris les pieds dans d'anciennes amours. Nul n'échappe aux rappels de la mémoire naïve. Cela fait du bien de se remémorer, d'imaginer encore, c'est-à-dire de revisiter des lieux imaginaires que le temps ne réussit pas à effacer. Je me revois à l'âge de treize ans, en un beau mois de septembre. Je commençais mon cours classique dans un collège de Montréal, frais comme une herbe du printemps, propre comme du neuf, encore petit par rapport aux grands qui nous impressionnaient, évidemment. Je portais un veston foncé, une chemise blanche et une cravate mince, j'avais les cheveux courts, l'œil bien ouvert, la tête en orgueil, mais j'étais quand même sur mes gardes, allant au pas prudent de l'enfant qui déambule dans les corridors inconnus de son petit destin, en route vers ce qui allait devenir ma vie, pour les huit prochaines années. Ce fut une époque cruciale que ce mois de septembre de l'année 1959. Je me souviens de la beauté des jours, du taxi de mon père qui, pour la grande occasion de la rentrée, nous avait reconduits jusqu'aux portes du collège, mes deux frères et moi. Papa avait insisté pour que nous lavions la Chevrolet Delray afin que sa couleur noire fasse une digne impression de limousine. Trois garçons de Pointe-aux-Trembles qui faisaient ensemble leur entrée dans un collège classique du centre-ville de Montréal, cela n'était pas ordinaire.

Il y avait d'ailleurs des entrées : d'imposantes grilles noires en fer ouvré perçaient à intervalles réguliers un beau muret de pierre. Cela donnait un petit parc séparant le collège de la rue animée. Mais surtout, cela donnait encore plus de décorum à l'univers dans lequel nous faisions nos premiers pas. Le collège Mont-Saint-Louis affichait une architecture témoignant des bâtiments institutionnels de la fin du XIXe siècle. Il avait été érigé en 1875, je crois. Il impressionnait par sa façade en pierres taillées grises, ses grandes portes et ses nombreuses fenêtres en bois. Rien qu'à voir, on voyait bien que nous entrions dans un lieu sacré où tout respirait l'école, les élèves, les souvenirs des anciens, le passage du temps, le timbre de la cloche. Je me souviens des grands escaliers, assez larges pour que nous montions quatre élèves côte à côte, posant nos pieds sur des marches usées par des générations de petits culs comme nous.

Cette année-là, le premier ministre Maurice Duplessis mourut dans une cabane en bois rond, un camp de pêche au cœur des régions sauvages de Schefferville. Je n'ai jamais aimé ce nom, Schefferville, mais qui se soucie de bien nommer les trous de mines ? Qui était ce Scheffer ? S'agissait-il d'un patron de la Quebec North Shore ? Non. Nous étions encore en religion et ce Scheffer, Lionel de son prénom, était un oblat de Marie, vicaire de ces vastes parages nordiques, le pays des Montagnais. C'était au temps d'un ancien Plan Nord, le paradis de l'Iron Ore, deux cennes noires la tonne de minerai de fer, le train pour Sept-Îles, une source intarissable de richesse pour le Trésor public. Selon les analystes, nous vivions cette année-là les derniers instants de la Grande Noirceur. Mais nous, en ce mois de septembre 1959, nous ne savions pas cette noirceur, nous ne savions rien de cette fin d'époque, nous faisions simplement nos premiers pas dans un univers rempli de défis et de choses curieuses, nous pénétrions dans les dédales d'un collège. Ce présent nous suffisait bien.

Dès le premier jour, je rencontrai le frère Martial, préfet de discipline. Tous les nouveaux devaient se présenter dans son bureau. S'appeler Martial et s'occuper de discipline, cela vous commence bien les éléments latins. Ce frère effrayant avait des pellicules très visibles sur les épaules noires de sa soutane. Son regard était bleu de glace, nous en étions quittes pour vivre dans la crainte de Dieu. Puisque je ne croyais pas en Dieu, je vivais dans la crainte tout court, ce qui m'a formidablement bien préparé à la lecture des œuvres d'Albert Camus. Cela, toutefois, est une autre histoire – ou s'agit-il toujours de la même ?

Vinrent les amis, des enfants encore. Nous allions devenir des hommes en partageant les mêmes classes pendant huit ans. Nous arrivions de partout, de tous les lieux, de tous les milieux, de Verdun, de Ville-Émard, de Pointe-aux-Trembles, d'Ahuntsic, d'Hochelaga et de Tétreaultville, de ces endroits improbables où les jésuites du collège Brébeuf n'espéraient pas récolter des âmes. Le Mont-Saint-Louis, je le sais mieux aujourd'hui, n'était pas un collège comme les autres. L'établissement représentait le fleuron des Frères des écoles chrétiennes à Montréal. Les prêtres jésuites regardaient de haut ces frères vulgaires dévoués à la cause de l'éducation populaire. Au Mont-Saint-Louis, le cours classique n'était pas l'apanage des riches, des bons bourgeois et de l'assemblée des snobinards canadiens-français. Des garçons comme moi pouvaient fréquenter l'inaccessible et le mythique. Cependant, l'enseignement des frères n'était pas exactement celui des pères. Notre gymnase était immense, le sport revêtait une grande importance au sein du curriculum. En outre, dans le corridor du deuxième étage s'entassait une immense collection d'animaux sauvages empaillés, la collection complète des travaux des Jeunes Naturalistes accumulés au fil des ans.

Les Frères des écoles chrétiennes avaient introduit l'enseignement scientifique dans leur programme, au grand dam des Jésuites qui s'accrochaient aux « humanités » dans leur définition la plus pure. Bref, le Mont-Saint-Louis avait adopté une pédagogie qu'on pourrait qualifier de moderne. Influencés par leurs collègues américains, les Frères essayaient de désempoussiérer les cadres obsolètes des communautés religieuses dominantes, pour qui les Canadiens français étaient des bourgeois et des clercs s'ils étudiaient les humanités, ou rien du tout s'ils étaient ouvriers. Le commerce, les sciences physiques ou les sciences de la vie, tout ce savoir n'avait aucune pertinence aux yeux d'une élite encore enfermée dans ses dogmes religieux et nationaux.

Le frère Marie-Victorin, Conrad Kirouac de son vrai nom, avait été le champion de cette grande lutte entre les tenants d'une pédagogie ouverte et les défenseurs de la tradition classique. Il s'était battu griffes et ongles pour créer son laboratoire de botanique à l'Université de Montréal et y était parvenu. Il avait écrit une thèse de doctorat remarquable sur les fougères. Au lendemain de la crise de 1929, il allait fonder le Jardin botanique de Montréal. Jacques Rousseau, le grand explorateur du Nord québécois, l'homme de combat, l'homme de toutes les indignations, avait été son élève, il était devenu son second. Sous l'égide de Marie-Victorin, Rousseau allait rédiger trois chapitres de la *Flore laurentienne.* Dans la foulée de son maître qui avait marché la Minganie et combien de milieux naturels du Québec, Rousseau élargit le champ d'enquête et traversa à pied la forêt boréale, jusque dans la toundra. C'est lui, ce Jacques Rousseau, qui organisa la première exposition des Jeunes Naturalistes, nulle part ailleurs qu'au Mont-Saint-Louis, en 1928. Les deux hommes avaient été aux sources de la création de l'Association canadienne-française pour l'avancement des sciences.

Les libéraux de Taschereau ne tenaient pas ces pionniers en odeur de sainteté. Ou était-ce que Rousseau, Marie-Victorin et les autres ne respiraient pas assez la sacristie ? Toujours est-il que le premier ministre Alexandre Taschereau fut l'adversaire le plus féroce de la construction du Jardin botanique de Montréal. En 1932, sous la gouverne du même Taschereau, on songea à simplement fermer l'Université de Montréal, jugée superflue et inutile. On parlait alors du coût de l'éducation et de l'incapacité des Canadiens français à se payer un vrai système. Curieusement, c'est un nouveau venu en politique, un dénommé Maurice Duplessis, qui allait devenir l'allié de Marie-Victorin et des Frères des écoles chrétiennes dans cette lutte épique contre l'establishment clérical. Le carré rouge, à l'époque, était bleu.

Décidément, le Mont-Saint-Louis tranchait. On y trouvait des laboratoires de biologie, des herbiers et, je le disais plus haut, ces impressionnantes collections d'animaux empaillés représentant le bestiaire complet de la forêt canadienne. Jacques Rousseau avait fait sa thèse sur une nouvelle plante sauvage qu'il avait lui-même découverte, l'astragale. Oui, le collège respirait la fougère et l'astragale, il s'ouvrait d'emblée sur les richesses de la terre québécoise. Marie-Victorin soutenait que nul ne pouvait vraiment se réclamer d'un pays s'il ne l'avait pas nommé, dit, parcouru, appris, découvert, aimé. Je comprends mieux aujourd'hui pourquoi, dans nos cours, on nous entretenait autant des truites mouchetées et des loups gris que d'architecture romaine ou de Scipion l'Africain. Le Mont-Saint-Louis parlait du pays et de la terre, de l'amour de ses arbres, de ses animaux, de ses oiseaux, de ses poissons, de ses moustiques, de ses mouches, de ses paysages. Dans les approches pédagogiques d'aujourd'hui, je revois l'écho de ces anciens programmes liés à la connaissance de la nature, de la géographie et de l'histoire.

Le mythe était plus grand encore : les fils d'Yvon Robert et de Maurice Richard fréquentaient notre collège. Certes, Marie-Victorin avait été le champion de la Science et de l'Éducation. Il jouissait d'une grande notoriété et avait légué un riche héritage malgré son départ prématuré (il était mort tragiquement en 1944, dans un bête accident d'automobile au retour d'une expédition botanique dans les Cantons-de-l'Est). Mais en 1959, Maurice Richard au hockey et Yvon Robert à la lutte représentaient les véritables héros de la nation, les vengeurs de nos humiliations nationales, par la force et par la fougue, chacun dans sa discipline sportive. Juste ces deux noms, Robert et Richard, associés à notre collège, lui donnaient une dimension surhumaine.

En 1900, les Canadiens français ne jouaient pas au hockey. Certains cyniques diraient qu'ils ne jouaient à rien, mais ce serait exagéré. Les tournois d'hommes forts, les courses en raquettes et les marathons excitaient bien des esprits canadiens. Quant au hockey sur glace, c'était un sport nouveau. Les anglophones de Montréal, de Kingston et de Québec le pratiquaient avec passion. Ils jouaient entre eux. Seuls les Irlandais catholiques osaient s'aventurer sur leurs patinoires. C'est ainsi que le Montreal Shamrock des Irlandais jouait régulièrement contre le Montreal Athletic des Anglais ; ces matchs revenaient trop souvent au goût des autorités, car ils atteignaient de hauts niveaux de violence ethnique, provoquant des rixes et des émeutes qui nécessitaient l'intervention des forces de police municipales. Détail amusant : dans la police de Montréal de ce temps-là se trouvait une future légende du peuple, l'homme le plus fort du monde, Louis Cyr.

Or, voilà bien la surprise, le Mont-Saint-Louis a été au cœur de la naissance du hockey canadien-français. À cette époque, le collège accueillait les élèves irlandais anglophones. L'établissement a longtemps été bilingue. La filière irlandaise explique pourquoi le père d'Émile Nelligan avait inscrit son fils au Mont-Saint-Louis ; autre source de fierté. Les petits Canadiens fréquentaient les petits Irlandais dans la même cour d'école où, fidèles aux traditions des Frères, les deux groupes pratiquaient les sports ensemble. Cherchant à rendre la vie plus misérable aux Anglais, les Irlandais avaient initié les Canadiens au hockey sur glace. C'est donc au Mont-Saint-Louis, sous l'influence irlandaise, que s'était formée la première équipe de hockey canadienne-française digne de jouer avec l'élite. En 1959, nous ressentions instinctivement tout le poids de cette histoire. Le Canadien de Montréal fêtait ses cinquante ans, Maurice Richard avait marqué cinquante buts en cinquante parties, comment ne pas courir aux jeux autant qu'à la chapelle ? Les frères attachaient une grande importance à ce genre de choses, ils avaient pris très au sérieux la devise du *mens sana in corpore sano.* Je crois aujourd'hui que les frères préféraient la lutte à la messe.

D'ailleurs, le jeune athée que j'étais n'a jamais eu à souffrir de la propagande normale des frères qui, comme de raison, croyaient au Dieu des chrétiens. Mais ils n'en faisaient manifestement pas une maladie. Nous plongions dans la philosophie avec des professeurs avant-gardistes qui nous proposaient l'étude de l'œuvre d'Ernst Cassirer ; nous apprenions les cruautés de la langue française et nous suivions des cours de communication et d'éloquence ; nous avions les meilleurs professeurs de mathématiques du Québec. Malgré tout cela, le Mont-Saint-Louis demeurait ce petit collège pour les classes populaires, une exception malheureuse en bas de la liste des collèges élitistes, dominée alors par Jean-de-Brébeuf, comme de foi et comme de raison.

De *rosa* en *rosæ* en *rosam*, au détour des belles-lettres, je suis devenu un joueur de football. Je me souviens des coups, des courses, je me souviens de l'odeur de l'herbe en automne, de la terre mouillée, de nos uniformes sales, du sang sur nos chandails, de nos rires, de notre amitié, de nos chevilles douloureuses et tordues, des marques sur nos casques. Nous avons appris les gestes, la langue des combats, les regards complices, les pleurs de la défaite, les hurlements de la victoire. Ce sont ces joutes qui m'ont fait comprendre Camus et Saint-Exupéry, et une bonne part du monde. Nous sommes le chemin que nous parcourons. Nous possédons le terrain que nous avons gagné ensemble. L'humanisme n'exclut pas la bataille, l'éducation ne nous dispense pas de l'engagement d'être humains. Les diplômes ne font pas de la magie. D'ailleurs, rien n'est pire qu'un crétin diplômé d'une grande école. Car, à la fin des cours, envers l'absurdité et contre la bêtise, il faut malgré tout créer, aimer, endurer, sourire à la vie, et si possible apprendre à sourire à la mort, aussi. Nous sommes des combattants, il faut affronter le désespoir de toutes les causes. En cela, point de passe-droit.

L'autobus de la ligne 4 passait devant le collège et nous montions à son bord tous les jours de la semaine à quinze heures cinquante. L'ancien circuit le conduisait au terminus Pie-IX, juste en face du Jardin botanique. Le fantôme de Marie-Victorin rôdait certainement dans l'autobus, son esprit faisait l'aller-retour entre le Mont-Saint-Louis et le Jardin. À l'époque de la fondation du Jardin botanique, il y avait eu un débat public orageux à propos du choix du site. Marie-Victorin et Jacques Rousseau avaient opté pour des terrains vagues au nord de la rue Sherbrooke, à l'angle du boulevard Pie-IX. Cela avait fait scandale. Non seulement les créateurs du Jardin avaient subi la mauvaise humeur d'un gouvernement libéral qui les désavouait, en même temps que toute la science canadienne-française, mais en plus ils avaient dû subir les foudres des snobs de Montréal qui trouvaient proprement scandaleux d'établir une pareille institution dans l'est de la ville, parmi les ouvriers incultes. Bien sûr, ces ténors du bien public proposaient que le Jardin s'installe à Outremont ou quelque part sur la montagne, là où le peuple barbare ne risquerait pas d'abîmer les fleurs.

Au printemps de l'année 1970, j'amorçais ma maîtrise en anthropologie à l'Université Laval. Je nageais dans les univers de l'Algonquinie et, enthousiaste, j'ai eu la naïveté de téléphoner à Jacques Rousseau pour lui demander de l'information sur les Cris, les Naskapis et les Montagnais. Je cherchais des informations pointues à propos du lac Nichicun ; oui, j'ai eu le culot de m'adresser au grand maître. À ma surprise, il m'a répondu ; plus encore, il m'a invité au restaurant des professeurs de l'Université Laval. Depuis quelques années, le légendaire Jacques Rousseau avait rallié le Centre des études nordiques, où quelques professeurs admiraient le caractère mythique de son œuvre de vulgarisation scientifique. Mais Jacques Rousseau n'avait pas que des amis. Son caractère bouillant lui jouait des tours. On ne le consultait guère et il se trouvait un peu en retrait des effervescences de la Révolution tranquille. Mais il était là, savant et disponible, encore jeune à soixante-cinq ans. Avant de seulement réaliser ce qui m'arrivait, je me suis retrouvé en tête-à-tête avec le célèbre botaniste.

Coiffé d'une belle chevelure absolument blanche, sûr de lui et parlant haut, l'homme en imposait. Il exécrait les professeurs et les ronds-de-cuir, il préférait la compagnie des étudiants, il tenait le jeune Pierre Trudeau pour un fumiste, il rageait contre les technocrates, peut-être bien contre le monde entier. J'écoutais religieusement l'homme qui avait refait le voyage labradorien de Mina Benson Hubbard, l'homme qui avait traversé la péninsule d'Ungava, celui qui avait écrit tant et tant de textes sur les Cris mistassins, sur le Nord, sur la forêt boréale, sur les plantes, l'élève et le fidèle collaborateur du frère Marie-Victorin, le découvreur de l'astragale. Jacques Rousseau respirait l'aventure, la curiosité, la passion ; c'était un libre-penseur et un rebelle. Congédié de sa fonction de directeur du Jardin botanique, congédié par le Musée de l'Homme à Ottawa, auréolé des mystères malheureux de ces malentendus, il n'en demeurait pas moins un géant à mes yeux. Je connaissais tous ses écrits. Je savais son amour du Nord, de la nature, des Indiens et de l'histoire. En le regardant, j'imaginais la profondeur du lac Nichicun, la sacralité des monts Otish, les océans d'épinettes noires, puis l'infinie toundra, la rivière Koroc, le cratère du Nouveau-Québec. Mais, curieusement, je revoyais aussi la rue Sherbrooke, l'autobus de la ligne 4, le Jardin botanique, je revivais tous les combats, toutes les routes, toutes les indignations de cet homme intemporel.

Rousseau est mort cet été-là, en 1970, terrassé par une crise cardiaque à soixante-cinq ans. Aucun média n'a rapporté sa mort, personne n'a évoqué son œuvre, nul n'a commenté la grande valeur de sa vie, de ses voyages, de ses traversées de l'absurde. L'astragale rejoignait la fougère dans les sous-bois tranquilles de la mémoire. Il est parti juste avant la crise d'Octobre, juste avant la mise en chantier des projets de la Baie-James – le Plan Nord de Robert Bourassa –, il est parti avant les abstractions politiques précieuses du dandy Trudeau, élève des Jésuites, raisonneur impénitent, canoteur de pacotille. Il y avait ceux qui ramaient, il y avait ceux qui faisaient ramer les autres. Les deux ne fréquentaient pas les mêmes écoles. Méfiez-vous de vos souvenirs d'enfance : tous les enseignements ne se ressemblaient pas.

Oui, dans ma tête, aujourd'hui encore, je refais le voyage jusqu'aux pierres grises de mon collège. Je retouche aux animaux empaillés des Jeunes Naturalistes, je reconnais les odeurs du laboratoire de biologie. Je repense à ce mois ensoleillé de septembre 1959, à mon veston foncé, ma chemise blanche, ma cravate mince. Ma mémoire olfactive évoque d'autres automnes, l'herbe des terrains de jeu, la terre jusqu'entre mes dents, les feuilles mortes, les écorces, mon casque de football qui tournoie sur le sol, juste après le choc. Ma nostalgie me conduit à l'orée des sous-bois, où je retrouve au pied de la fougère, au pied de l'astragale, les germes mêmes de la libre-pensée, liberté oubliée que nous foulons sans prendre garde, déflorant tout sur notre passage, au volant de nos véhicules tout-terrain.

Carnet de famille

Mes oncles d'Amérique

Dans ma jeunesse, j'ai connu de nombreux oncles. Des hommes d'une autre époque. À eux seuls, ils tracent une sociographie précieuse, d'autant plus précieuse qu'elle est presque disparue. Parfois j'ouvre l'album, j'essaie de retenir un peu de leur allure, des bouts de leur existence, avant que les images pâlissent complètement.

L'un était marin au long cours, il s'appelait Roger, et quand il nous arrivait de le voir, ce qui était rare, nous flairions le salé, le lointain, le soleil de l'Afrique, car il allait en Afrique. Jamais il n'aurait travaillé dans une usine ou une manufacture ; bâti pour l'aventure, il avait la gueule d'un acteur américain. Un autre était voleur de voitures, en cavale aux États-Unis où il avait rejoint un parent, le mari de ma tante, en fuite lui aussi pour des raisons jamais divulguées, mais dont on se doutait bien qu'il s'agissait d'affaires assez sérieuses pour qu'il se refasse une vie en Californie sans jamais songer à remettre les pieds au Québec, où il était boucher chez Steinberg. Et puis il y avait André l'électricien, qui s'était un jour gravement électrocuté, au point de ne plus pouvoir travailler, et dont le mariage avait été malheureux autant que toute sa vie, et Lucien le boiteux, qui avait reçu une balle dans la jambe lors du malheureux débarquement de Dieppe et qui avait survécu en faisant le mort sur la plage.

Dans la famille de mon père, ils étaient sept frères. Je revois Marcel, qui passait ses journées dans les salles de *pool*, un joueur exceptionnel, un professionnel du billard, mais un professionnel de l'arnaque surtout, un beau Bouchard qui collectionnait les femmes en se vantant de n'avoir jamais travaillé une heure dans sa vie. Comment oublier Gérald, l'itinérant, le déficient, qui venait parfois cogner à notre porte, pauvre homme sans ressources qu'on a retrouvé mort de misère dans les parages du refuge Meurling ? Son frère Paul avait un regard dur qui nous effrayait. Il nous impressionnait avec ses histoires de guerre, sa guerre contre les Allemands, ses combats et ses blessures ; une balle lui avait traversé les deux joues. Il s'était porté volontaire pour la guerre de Corée, menant une vie de mercenaire ; il ne cachait pas son amour immodéré des armes ni sa nostalgie toute militaire. N'ayant plus de guerre à faire, il était devenu *dispatcher* des chauffeurs de *vans* de la BA Shawinigan, se trouvant heureux dans sa guérite à l'entrée de la raffinerie après avoir conduit pendant plusieurs années des gros « camions d'huile » et des autobus de la Compagnie de transport provincial. Et en voilà un autre, Georges, le calme et le tranquille, lui aussi chauffeur de camion, qui avait eu un jour maille à partir avec des camionneurs italiens de Montréal-Nord pour avoir séduit une serveuse de *truck stop* qu'il n'aurait jamais dû même reluquer, mais qu'il avait épousée quand même au sortir de l'hôpital où il avait séjourné après qu'on l'eut battu quasiment à mort ; il avait fréquenté le restaurant avec son gros *truck* malgré l'interdiction des Italiens, il voulait impressionner sa belle et montrer au monde entier qu'il ne reculerait devant rien. Il avait fait la guerre avec Paul, mais lui, il n'avait pas trouvé cela bien drôle, pauvre Georges qui était sourd d'une oreille depuis qu'une bombe avait explosé trop près de son bataillon lors d'une nuit difficile en France, dans les semaines ayant suivi le grand débarquement des Alliés. Il était resté toujours très amoureux de sa femme qui, elle, ne s'était jamais remise de la mort tragique de leur fils unique, dont l'automobile avait frappé un gros arbre à Terrebonne – *il roulait trop à droite, il roulait trop à droite…* –, et qui était morte de peine. Georges aimait le bois et les régions sauvages, le silence des grandes forêts de Mégantic. C'était lui, l'homme au volant du fardier qui avait livré la première turbine géante pour les barrages de la Baie-James, à bord de son gros Mack aux couleurs vert bouteille de la compagnie Broklesby. Il a vécu très vieux.

Passons à Philémon, le plus vieux de la famille, policier à Montréal, sergent-détective comme on disait, qui s'était brouillé avec mon père à cause de ma mère qui avait proféré une remarque assassine à propos de sa femme, ce qui avait provoqué l'irréparable entre les couples. Philémon est mort en changeant une ampoule électrique au plafond de son salon, foudroyé par une crise cardiaque à l'âge de soixante-seize ans. Finalement, Aurèle, que nous n'avons pas connu mais qui était si présent dans les conversations, une légende, un jeune homme qui n'aura pas vraiment vécu, tué à la guerre à vingt-deux ans, à Ortona en Italie, une guerre où il ne voulait pas aller ; ma mère qui était parfois tuable répétait qu'il était le plus beau et le plus intelligent des sept frères Bouchard, ce qui bien sûr chagrinait Roméo, mon père, qui croyait que c'était lui le plus beau de sa famille.

Je pense encore au curieux Roland, du côté de ma mère – il y a toujours un oncle Roland quelque part –, le mari en secondes noces de Georgette, technicien à Radio-Canada, spécialiste des ondes courtes pour la Canadian Air Force durant la guerre, ce dont il était fier, amateur de TSF, mais le plus mauvais chauffeur automobile que j'aie jamais connu, homme routinier et prudent qui est mort dans sa chaise longue en se faisant bronzer dans la cour arrière de son bungalow de Chomedey. Il y a aussi cet oncle dont j'oublie le prénom, premier mari de cette même Georgette, tenancier d'une barbotte angle Mont-Royal et Saint-Denis, qui est mort jeune, mystérieusement et tragiquement, pour avoir bu de l'eau du fleuve à Repentigny durant une canicule. Quant à l'oncle Harry, l'époux irlandais de tante Ida, forgeron à la Vickers, il avait travaillé quarante ans au même poste, pour finalement obtenir une montre en or de la compagnie en guise de reconnaissance. Harry fumait à la chaîne des Player's sans filtre, il toussait à l'avenant. Il regardait toujours les femmes avec des yeux lubriques, ce qui nous a fait découvrir ce que c'était, la lubricité. Je n'oublie pas Vincent, l'Italien, le mari de Simone, poseur de tourbe et terrassier, un homme bon chez qui nous allions manger des spaghettis aux boulettes, les dimanches, et qui apparaissait fièrement, tout propre et parfumé, les cheveux bien peignés et ondulés, se mettant beau pour plaire à Simone qu'il aimait tant et à qui il jetait sans arrêt des regards amoureux tandis qu'il nous racontait des histoires avec son fort accent italien.

Les pages de l'album tournent. Voici Louis, un autre Italien, mais de New York celui-là, à qui nous rendions visite quelquefois dans son bungalow de Yonkers, chez qui nous mangions aussi du spaghetti aux boulettes, *New York style*; fier de sa Pontiac, il se vantait de rouler New York-Montréal en moins de six heures, protestant toujours contre l'état des routes au nord d'Albany, un autre qui se parfumait, grand fumeur de cigarettes Marlboro, vendeur d'assurances qui avait son bureau dans Manhattan. Et puis, le mari de tante Alice, un tout petit homme qui travaillait dans les raffineries de pétrole de l'est de la ville, un plombier industriel qui est mort centenaire sans avoir jamais mis les pieds en dehors de

Montréal. Il avait toujours vécu dans le coin de la rue Frontenac, se levant à quatre heures du matin tous les jours, montant dans l'autobus 185 pendant quatre décennies, déjeunant d'escalopes de porc et de patates brunes ou de steaks que tante Alice lui préparait à sa manière unique, avec du thé en sauce, du thé Salada.

Le carnet de famille se termine avec Yvan, le col bleu qui conduisait les camions de la Ville de Montréal, arrosant les fleurs publiques en été et soufflant la neige en hiver, un homme silencieux, ne parlant jamais de sa vie mais dont l'histoire bouleverse. Engagé dans la marine marchande durant la guerre, marin sur les convois nord-atlantiques de ravitaillement, il avait fait trente fois la très périlleuse traversée vers l'Angleterre sans avoir jamais touché le sol des vieux pays, sans être débarqué une seule fois sur les quais anglais. À bord de son navire, il avait participé à l'arraisonnement d'un sous-marin allemand en difficulté quelque part dans les eaux de l'Islande, recueillant les armes de tous les officiers et aidant l'équipage, désormais prisonnier, à quitter par une passerelle le U-boat en voie de couler. Mais son bateau à lui, celui sur lequel il naviguait depuis deux ans, a finalement été torpillé au large de Terre-Neuve et envoyé par le fond, entraînant tous ses compagnons dans la mort. Il y a eu un seul survivant ; oui, Yvan a survécu miraculeusement en flottant à la surface des eaux glaciales imbibées de *fuel*, avant d'être sauvé in extremis de la noyade et de l'hypothermie par des équipes de secours qui l'ont localisé par hasard au milieu du brouillard. Tandis qu'il récupérait dans un hôpital de Terre-Neuve, terrorisé par la perspective de se faire amputer le nez, les dix doigts et les dix orteils, sa mère, à Montréal, recevait la lettre officielle du gouvernement canadien l'avisant de la mort de son fils. Un an plus tard, Yvan est réapparu à la maison, dans son uniforme de marin, stupéfiant ses proches qui l'ont pris pour un imposteur. Il avait conservé son nez, ses doigts et ses orteils, mais il avait perdu à jamais le sens du toucher. Après la guerre, il était éligible à une pension spéciale pour les grands blessés, il aurait pu être avantagé dans le registre des anciens combattants. D'ailleurs, il a reçu plusieurs enveloppes d'Ottawa à cet effet. Mais il ne les a jamais ouvertes et n'en a parlé à personne. Yvan ne savait pas lire. Il a fait le mort, lui qui voulait tant passer inaperçu. Il s'est privé de toutes ces compensations et le ministère a fini par l'oublier.

Cela en fait, des aurores et des crépuscules, des chaînes de trottoirs et de l'asphalte usé, des chutes de neige et des bourgeons de printemps, des autobus brun et beige, des taxis et des autos de police noirs, des gros camions Autocar, des White, des Sicard et des Diamond Reo, des beaux chargements et autant de trajets, des cris de corneille et des cris de carouge, des feuilles mortes et des pluies de novembre ; cela en fait, des clartés et des noirceurs, des lumières de rue, des insomnies, des désespoirs et des peurs, des calculs déçus, des logements, des escaliers glacés et des balcons enneigés, des Marlboro et des Player's, des bungalows, des décapotables rouges, des camionnettes Fargo, des Chevrolet Delray et des Pontiac Parisienne, des photos racornies, des odeurs de parfum, des *mon mononcle,* des *ma matante,* des trajectoires, des retrouvailles, des pertes surtout, des heures au bord de l'eau, à regarder passer les transatlantiques et les cargos.

Monique de Santa Monica

Il y a de cela cinquante ans, au mois de juillet, un vendredi midi, sous un soleil qui parvenait à peine à percer le nuage de pollution, j'étais arrêté au feu rouge d'une intersection achalandée de Los Angeles. Accoudé à la fenêtre ouverte de ma Coccinelle d'occasion, je fumais une cigarette en revoyant dans ma tête les images de ce long voyage qui m'avait fait couvrir la distance depuis Montréal en moins d'une semaine. Traverser le continent dans une Beetle à l'agonie, avec juste assez d'argent pour acheter de l'essence et des sandwichs ; avoir vu autant d'asphalte, de lignes blanches, autant de panneaux de signalisation en seulement quelques jours, c'était étourdissant. J'avais l'impression de me trouver dans un film, au super-ralenti ; je pouvais saisir d'un coup et pleinement toutes les dimensions du périple, les interminables étapes, les horizons, les crépuscules, les maringouins morts sur le pare-brise, les chauves-souris dans le désert, la vibration si caractéristique du moteur Volkswagen, les noms des villes et des États, la faim.

J'avais parcouru l'autoroute monotone vers Toronto, Détroit et Chicago, une route sans fin et sans relief, la plate réalité des amas de grisaille étalés dans la distance entre les villes, corridor bruyant, hurlant, parsemé de gros hôtels à l'architecture surréaliste, d'échangeurs achalandés, d'aires de restauration, essence, diesel, poulet frit, hamburgers, frites, beignes glacés au chocolat, *Boston cream pie,* toilettes, multiplication des *exits,* des publicités, des informations touristiques, brouillard, bouchons, accidents. Passé Chicago, le trafic s'éclaircit, l'*Interstate* se poursuit à travers les champs de l'Illinois et les vallons qui mènent à Saint-Louis, au Missouri. Les camions se suivent, calmes et tranquilles, comme de petits jouets inoffensifs, ces miniatures que les enfants poussent dans le sable en faisant des bruits de moteur.

J'allais découvrir la sécheresse des Plaines, le paysage torturé des Mauvaises Terres, la poussière du Nebraska, les orages de l'Oklahoma. J'ai été impressionné par les montagnes Rocheuses et les interminables cols que la pauvre Coccinelle traversait de peine et de misère sur son petit « beu » ; je n'en revenais pas des déserts et des pierres, des paysages ocres de l'Utah, l'ancien pays des Utes, et de la vallée de la Mort qui était autrefois le pays des Pimas. Je l'ai traversée, cette vallée à l'air trop chaud, à l'air brûlant que respirait sans se plaindre le petit moteur primitif de ma Volks, un moteur justement « refroidi à l'air », un moteur fini qui roulait sur trois pistons, le quatrième ayant rendu l'âme dès Valleyfield, ce qui n'avait pas ébranlé ma résolution de rouler vers l'ouest, coûte que coûte. *Los Angeles or bust !*

En ce temps-là, aux États-Unis, la jeunesse de la côte Est se ruait vers la côte Ouest, comme s'il y avait là-bas une espèce d'eldorado, un autre monde, allez savoir lequel. Des jeunes de Boston, New York, Cleveland se regroupaient pour faire la traversée du continent. Sur les grandes routes roulaient des milliers de Volks comme la mienne, toutes fenêtres ouvertes, d'où s'échappaient les échos bienheureux de *California Dreamin'.* Imaginez le convoi de l'amour libre : des révolutionnaires en mission de paix, cheveux longs, bandeaux fleuris, jeans « pattes d'éléphant », des filles libérées, nature, psychédéliques, des lunettes roses, des marguerites jaunes, des *love* partout, du pot, du patchouli. La rumeur courait que la vérité se trouvait en Californie, il y avait là une promesse de lumière, une brise de paix qui ne soufflait nulle part ailleurs. On racontait que le Pacifique avait quelque chose que l'Atlantique n'aurait jamais.

Malgré les apparences, je ne faisais pas vraiment partie de ce mouvement, je n'étais pas du *trip*. Certes j'en avais l'allure, mais je n'étais pas un beatnik sur le retour, ni un hippie en gestation. Mon affaire était plus simple : j'aimais rouler, un point c'est tout, j'aimais la route pour la route, j'aimais le courage de ma Coccinelle. J'étais plus proche de l'*American trucker* que de n'importe qui d'autre. Ma route n'était pas celle de Walt Whitman, éloge de la rencontre, des expériences et de la communauté des nomades. Bien au contraire, je gravais ma solitude dans l'asphalte, un kilomètre après l'autre. Bref, je n'étais pas sur le party. Je fumais de simples cigarettes plutôt que l'herbe si populaire. J'écoutais les tounes de Johnny Cash et me fondais dans l'animation des *truck stops* afin de m'éloigner des messes du *peace and love.* Dopé comme je l'étais à l'imaginaire, une substance de plus m'aurait fait sauter la tête. J'étais un naïf, un fou naturel qui aimait l'histoire, la nature, les camions. Loin de moi les feux de camp, les guitares et les chansons en chœur ! Non, je n'appartenais pas à cette jeunesse américaine, d'autant plus que je parlais français et venais d'un monde que personne ne connaissait vraiment : des gens qui vivaient et parlaient en français au Canada, *what a surprise !*

Oui, il me revient souvent en tête, ce moment-là : midi tapant à Los Angeles, un vendredi, en 1966. Je fume une cigarette et je fixe les feux de circulation, le coude noirci par le caoutchouc fondant du rebord de fenêtre de ma Coccinelle. Le petit moteur pétarade, il menace toujours de s'étouffer au ralenti, mais il ne s'étouffe jamais. Je suis au bout d'un long voyage et je souffre dans ce four, cette circulation, ce monde. Une Cadillac blanche décapotable s'arrête tout juste à mes côtés. L'intérieur est en cuirette rouge. Blanc et rouge, le bel assemblage des années 1960, une Cadillac monumentale et mythique, celle des premiers films en couleur. C'est Hollywood, c'est la Californie, c'est un gros char chromé, volant blanc, pneus blancs, les ailes en fusée, une horreur irrésistible, symbole de l'arrivée au sommet de la pyramide américaine, icône de l'absolue quétainerie, au temps où la quétainerie n'avait pas encore été inventée. Comme de raison, la passagère de cette automobile est une blonde, une fausse blonde, une Marilyn qui n'a pas lésiné sur le rouge à lèvres, si bien qu'on croirait qu'elle a assorti son rouge à celui des banquettes. Elle m'interpelle d'une voix forte, en français : « Où c'est que t'as mis ta tuque, mon homme ? » C'était une Québécoise californienne qui avait remarqué ma plaque d'immatriculation et qui se sentait tout à fait à l'aise d'interpeller un membre de sa tribu d'origine, dans sa langue, sans ambages ni précautions.

Ç'aurait pu être Monique, ma tante Monique expatriée aux États, du moins c'est ainsi que je l'imaginais, Américaine, très Américaine. Petit garçon, j'étais tombé amoureux de cette belle femme, la demi-sœur de ma mère. Nous la visitions souvent dans son bungalow de Terrebonne où elle vivait avec son mari, boucher chez Steinberg. Le couple avait deux garçons de nos âges. Chaque fois que nous allions les voir, j'admirais béatement ma tante et je me demandais, tout jeunot que j'étais, ce qu'elle faisait avec un homme pareil, elle qui aurait pu trouver bien meilleur parti. J'avais le jugement jaloux, déjà. Un beau matin, nous avons appris que toute la famille avait quitté précipitamment le Québec pour la Californie. Ils ne sont jamais revenus vivre au pays.

Quel beau prétexte ! J'avais fait toute cette route pour revoir ma tante. Bien sûr, je me suis baigné dans le Pacifique, je me suis éclaté dans les grosses vagues venues d'Hawaii, j'ai vu tous les jours le soleil essayer de se débarrasser de ce smog jaunasse qui colorait chaque matinée qu'amenait le bon Dieu. Mais le clou de ce voyage, c'était Monique de Santa Monica. Contrairement à ce que j'avais imaginé, elle n'avait pas beaucoup changé, elle était toujours aussi brune et belle, tellement simple, naturelle et avenante. Elle n'avait rien perdu de son français, elle le parlait sans accent et sans grossières « américanités ». Franchement, elle se distinguait des autres femmes, on voyait qu'elle n'était pas une vraie Californienne.

Après un bref séjour, je suis reparti vers le nord. J'en avais assez de ces décapotables, de ces planches de surf, de cette manière désinvolte de voir le monde en blond. Avec mes trois pistons, j'ai repris la piste vers San Francisco, vers l'Oregon. Tout au long de la côte, j'ai croisé des hippies, beaucoup de hippies, les Coccinelle me klaxonnaient comme si on faisait partie de la même confrérie, du même party. Une fois rendu à Vancouver, j'ai regardé vers l'est en me disant que ce serait bien de rentrer à la maison. J'ai repassé les Rocheuses, ma pauvre Volks a voulu mourir dans les montées. C'est à peine si elle parvenait à maintenir sa poussée, menaçant à chaque seconde de crever. Obstinée, elle a fini par atteindre le sommet. Je suis retombé dans les Plaines, écrasé par le ciel, étonné par une aussi longue platitude. Finalement, j'ai roulé l'étape Winnipeg-Rouyn Noranda sans m'arrêter, un véritable exploit ; elle est cruelle, la route 11 de l'Ontario quand on la parcourt sur sa pleine longueur, sans relâcher. Suspense. Le calcul de l'essence était au plus juste ; il ne me restait plus d'argent pour les sandwichs. J'ai parcouru les mille derniers kilomètres jusqu'à Montréal complètement à jeun, sirotant des fonds de café froids.

Le temps a passé mais, aujourd'hui encore, j'ai souvenir

de ma tante Monique de Santa Monica. Avant de tirer sa révérence, à cause d'un affreux cancer qui l'aura tourmentée bien des années, elle a connu une vie plutôt divertissante. Ayant réussi à quitter son boucher, elle était devenue l'amante d'un mafieux influent du sud de la Californie et s'était installée à demeure dans une suite huppée d'un grand hôtel du centre-ville de Los Angeles. Ma mère lui avait rendu visite un jour et avait rapporté une photographie d'elle. La belle Monique s'était métamorphosée en « vieille matante américaine riche », avec sa coiffure surréaliste, son rouge à lèvres, sa Cadillac.

Ce qui me ramène à mon intersection, ce vendredi midi là, à Los Angeles. J'ai cessé de fumer depuis longtemps, mais, allez savoir pourquoi, je me souviens encore de cette cigarette, celle que je fumais au volant de ma petite Coccinelle, dans l'air soleilleux et empoisonné de la ville des Anges. Quelques volutes de Peter Jackson, quelques secondes en 1966, l'instant d'un feu rouge. La route a ceci de magique : elle sait arrêter le temps en l'enroulant autour d'un petit rien, le bruit d'un moteur à pistons, l'odeur d'une grande ville, des brouillards jaunes, le visage d'une fausse blonde, ce chevreuil dans les montagnes, ces deux ours dans les forêts de Sacramento, le sourire de Monique qui vous offre un petit coke froid « dans la bouteille ». *Pis ? Comment ça va chez vous ? Parle-moi donc de ta mère, comment qu'a va, la belle Émilienne ?* »

Depuis cet été 1966, j'ai certainement roulé plus de deux millions de kilomètres et traversé le continent à plusieurs reprises dans tous les sens, de San Diego jusqu'à Sept-Îles, de La Nouvelle-Orléans jusqu'à Edmonton, de Tallahassee en Floride jusqu'à Anchorage en Alaska. Mais cette grande trajectoire a été en réalité un jeu de patience. J'ai tourné en rond, prisonnier de mes allers-retours, toujours en attente devant les feux d'une intersection. Ils sont toujours là, les panneaux de signalisation, les paysages fatigués, le soleil rouge du désert, les mornes autoroutes, les Pizza Hut et les Taco Bell, les gros camions jouets, les touristes, les corneilles des accotements. Je ne sais pas comment va ma mère, je ne sais pas non plus comment va ma tante Monique. Ce sont maintenant des mères mortes, dont le souvenir obsède naturellement les survivants. Je les imagine réunies, les deux sœurs, dans une sorte de néant, souriantes et complices, en train de boire un coke. *Pis ? Comment qu'y va, notre beau Serge ?*

La voix de monsieur Doucet

Dans la besace où s'accumulent mes nostalgies, la voix de Jacques Doucet décrivant tranquillement un match de baseball les soirs d'été à la radio représente un bien gros morceau. Au fil du temps, elle est venue se graver dans le fond de moi-même, telle une trame sonore rappelant les saisons.

J'aime le baseball depuis toujours, comme on aime l'idée de courir sur les sentiers, de se tenir debout dans le champ ou de rentrer sain et sauf à la maison. Les expressions françaises qui décrivent le jeu sont franchement belles. Il arrive que les sentiers soient déserts, que le voltigeur fasse une longue course qui l'oblige à reculer, dos à la clôture, qu'il regarde aller la balle du simple fait qu'elle est partie ; il arrive que le frappeur frappe une chandelle dans le champ intérieur ou une flèche dans le champ droit, que la défensive soit mystifiée par une balle qui a des yeux, par une balle qui tombe, par une autre qui voyage, que le frappeur fende l'air, s'élance dans le vide, qu'il soit surpris par un bâton fracassé, qu'il soit menotté par un lanceur dominant, retiré par un gant doré, avant de sombrer dans une longue léthargie qu'il devra un jour ou l'autre secouer.

Mais l'amour du baseball n'est pas à la portée de tout le monde. Ses longueurs déconcertent les gens de peu de foi. Les fans de baseball ne sont pas des fans ordinaires. Leur association tient plus de la société secrète que du simple goût du sport. Car s'intéresser au baseball est un penchant si intime et l'amour du baseball est si mystérieux que l'ensemble finit par nous échapper. Le baseball est atmosphère, il est climat, il nous retient insidieusement. Je l'ai toujours soupçonné d'accointances extraterrestres. Ce n'est pas pour rien qu'on a tourné des films comme *Le Champ des rêves*. Le baseball se joue du temps et de l'espace, comme s'il appartenait à une autre dimension. C'est une machine à figer le temps. Il est comme la mémoire des plus tranquilles archives de l'histoire. Il est essence, il a une âme. Décrire le mouvement des âmes demande une certaine attitude qui n'est pas étrangère à la routine, à la fidélité et à la répétition. Car l'âme est répétitive, elle aime les petits pas.

Je ne suis pas du genre à fréquenter les stades. La foule ne me soulève pas. Par contre, je voyage beaucoup sur la grande route, je compte ma vie en kilomètres et mes saisons se suivent dans l'ordre de la distance. J'écoute le baseball à la radio, dans mon auto. Le baseball a pour moi une sonorité. Je sais que l'hiver achève quand le printemps ramène le baseball dans mes oreilles comme le chant des merles dans nos cours. J'entends depuis trente ans la voix de Jacques Doucet annoncer le retour du beau temps, je l'entends suggérer que l'été sera beau du simple fait que cette voix si familière revient au poste, comme d'habitude.

Lorsqu'il est devenu évident que notre équipe allait quitter la ville pour déménager ailleurs et qu'il n'y aurait plus de baseball à Montréal, ma préparation au deuil s'est immédiatement portée sur la radio. À quoi ressemblerait le monde sans la voix de Doucet décrivant les matchs tous les soirs ? Depuis trente ans, cette voix m'accompagnait dans le temps de mes itinéraires. Elle faisait partie du décor de ma vie. En cela, la radio est magique. Nous la considérons comme un médium ancien, comme un sous-produit médiatique, bien en bas de la télé. Cependant, c'est le cœur. Pour comprendre pareil effet, il faut, je crois, comprendre la nature de la voix.

La voix humaine est puissante. La radio lui fait honneur. Et pour l'entendre, l'auto devient une chapelle privée où, dans la solitude de sa mobilité, l'être médite au son de sa propre humanité. Cela soigne et rassure, cela nous attache. Bien sûr, nous touchons là à la prière, à la musique rituelle et sacrée, aux incantations des prêtres, imams, sorciers et bardes de tout acabit. La voix humaine a un pouvoir inouï. Disons simplement qu'à la surprise générale des croyants que nous sommes, la voix humaine est plus forte que l'image. Voir le sacré est une chose étonnante, entendre sa voix l'est encore plus. La radio traverse les époques, survivant à des technologies qui lui sont mille fois supérieures. La simple voix humaine est irremplaçable, elle va à l'essentiel.

Il se joue 162 matchs de baseball par année, sans compter les matchs préparatoires et les éliminatoires. Jacques Doucet les a tous décrits, pendant trente ans. Au musée culturel des sons et du sens, il est devenu une icône. Une armée de fidèles sait ce que je veux dire quand je prétends que l'absence de cette voix sur les ondes allait créer un vide indicible. Quelque chose allait se défaire, se délier et se perdre. Un été sans la voix de Doucet représentait une authentique cassure dans le temps, une perte irréparable. Car ainsi va la vie. Elle passe et elle casse. Le baseball possède ce rythme élémentaire qui nous renvoie aux petits bonheurs des intervalles.

Nous parlions de longueurs. La voix venait de Houston ou de Pittsburgh, un soir comme un autre, un match comme les autres, un temps ordinaire. Elle nous donnait des chiffres, nous situait, nous disait où nous en étions, séquence de victoires, série de défaites, voyage difficile, blessure de l'un, espoir des autres, la description est une lente litanie. La voiture roulait, nous étions emportés, emportés par la voix grave et tranquille. Nous étions à l'affût d'un instant, le secret du baseball, le moment où quelque chose d'unique se produit, un jeu extraordinaire, un retrait dramatique, un coup providentiel. Question de vie ou de mort, sain ou sauf, sur le sentier ordinaire de la routine.

Pas facile d'expliquer cela à sa blonde qui ne connaît ni le baseball ni la voix de Doucet. Jamais blonde n'était plus dérangeante dans l'auto que lorsqu'elle parlait par-dessus Doucet, ou qu'elle éteignait la radio comme si de rien n'était, en neuvième manche, après deux retraits. Pour te donner un bec. Mais cela encore fait partie du jeu. Il n'est rien de plus étranger qu'un match de baseball à la radio aux oreilles de ceux ou celles qui n'en partagent pas la passion tranquille. Où l'on voit combien nos vies deviennent ésotériques sans que nous nous en rendions compte. La régularité est notre chemin principal, mais nous n'en tenons guère le compte. Nous accélérons, faisons des excès de vitesse, nous nous emportons, mais nous acceptons mal l'idée que c'est la platitude qui nous emmène.

Toutes les grandes villes d'Amérique du Nord ont une voix de baseball. Certaines sont devenues des légendes, là-bas, aux États-Unis. Pour moi, parmi celles-là, la voix de Doucet est grande. Elle est la nostalgie dans l'actuel, l'éternel retour en direct. D'avril à octobre, tous les soirs, aux quatre coins de l'Amérique, elle décrivait, elle décrivait, sans jamais fléchir, malgré les peines et les déceptions. La voix de Doucet ne s'est jamais ennuyée, au long des milliers et des milliers d'heures passées en ondes. Chaque apparition était une apparition.

Cette voix marquait jusqu'à ses silences. Et comble de surprise, elle était française. Le baseball dans la langue française était une sorte de perle rare dont nous ne savions pas apprécier la valeur. Comme quoi nous nous tenions pour acquis. Lors même que cela relève de l'exploit et du génie. L'américanité en beau français, ce n'est pas rien. Il va de soi que Jacques Doucet devrait être intronisé au temple de la renommée du baseball au rang des grandes voix radiophoniques de l'histoire de ce sport. Les dirigeants du baseball majeur, qui sont très médiocres comme on sait, n'ont pas et n'auront jamais la sensibilité, voire la culture qui leur permettraient de reconnaître d'emblée la grande valeur et l'originalité de la voix de Doucet. Car pour des fidèles comme moi, une fois la poussière retombée, le sens du baseball tenait autant sinon plus à la voix française de Jacques Doucet qu'aux records des joueurs.

J'ai rencontré Jacques Doucet, un soir à Miami. Les Expos y jouaient un match routinier, devant des bancs vides. Introduit dans le petit cénacle des commentateurs sportifs par mon grand ami Claude Mailhot, j'ai pu assister au match à partir de la cabine des commentateurs, juste aux côtés de monsieur Doucet et de Rodger Brulotte. Simple comme un coup de circuit, plaisant comme un coup sûr. J'étais aux sources de la chose, je me retrouvais à l'origine de cette voix qui faisait le train de nos étés.

Sa disparition des ondes a fait un grand trou noir dans ma ligne du temps. Cela a fait un vide dans mon Amérique française. La voix de Doucet avait meublé tant d'avrils et tant de mais, tant de vide et tant d'étés, elle avait pris une si grande place dans mon paysage sonore qu'elle avait fini par entrer en moi-même. Pour moi, elle était devenue le baseball, le murmure de cette religion, le bruit de fond de la continuité. Elle m'habitait, m'appartenait, et je l'ai perdue. Ma mobilité n'a plus jamais été la même. Mes voyages non plus.

Conversation sur le *Jos-Deschênes*

Le temps s'arrête à la traverse de Tadoussac. Nous fermons les moteurs pour mieux passer le Saguenay. Voilà que tous ensemble, les voyageurs de la 138, nous franchissons les eaux noires et profondes de la grande rivière creuse, contemplant ce décor familier de fjord et de vieilles montagnes rondes, coiffées d'épinettes en bataille. Sur le *Jos-Deschênes,* nous sommes des oiseaux pris dans une cage de gros métal, des oiseaux un instant privés de liberté ; machines arrêtées, pneus chauds. Ici, le vent est roi, l'eau est franchement souveraine, et que dire du froid humide qui vous pénètre jusqu'aux os ? S'il fait trop mauvais et que l'affaire se gâte, alors nous restons dans nos habitacles, au cœur de notre capsule automobile, les yeux fixés sur le pare-brise qui nous protège de la dureté du temps.

Mais aujourd'hui, en ce premier jour d'octobre, il fait si beau que même les corneilles sont de bonne humeur. Elles s'étonnent du temps et s'étrivent dans les branches résineuses des vieux arbres tordus, joyeuses comme des sœurs catholiques en vacances de prière. Avec mon vieil ami et compagnon de voyage, nous descendons de voiture pour nous délier les jambes, prendre l'air et profiter de la vue. Ce n'est pas long que je suis ébloui par la beauté transcendantale d'un gros camion rouge, un Mack Econodyne 2013, cabine allongée. Je ne peux pas me retenir d'en féliciter le chauffeur. D'autant que je le connais, je l'ai doublé tout à l'heure dans les côtes, depuis Les Bergeronnes. Chargé de bois de planches, pesant des tonnes de courage, il bataillait contre la gravité, usant ses freins Jacob pour se retenir de descendre à l'épouvante. Il a abouti, sur la pointe de ses dix-huit roues, aux portes du traversier, en bas de la « grand-côte ». C'est vrai, je l'ai entendu grogner et claquer du moteur, avant de libérer l'air de ses freins en un pshuttt bien senti, indiquant le niveau de l'effort, rappelant le souffle puissant des plus grandes baleines qui viennent respirer dans les baies. Cela tombe bien, il se trouve plus de vingt touristes français sur le *ferryboat,* et autant de *smartphones* qui surveillent la surface des eaux, espérant capter le rorqual d'entre les rorquals, ou une grande bleue.

Le chauffeur du Mack apprécie mes compliments à l'égard de son *truck,* il en descend pour venir admirer avec moi ses moindres lignes. « C'est mon premier Mack, y a juste 40 000 kilomètres dans l'corps, mais j'dois dire que j'l'aime ben. Avant, j'chauffais des Kenworth et surtout des Freightliner, c'tait correct, mais j'aurais jamais pensé que conduire un Mack était aussi l'fun. Ça, c'est du camion ! Y a l'air fort, y est fait fort, pis les Mack ont toujours leur bouledogue sur le nez. J'ai jamais vu un Mack sans son bouledogue. À part ça, y est automatique, j'parle d'une transmission automatique écœurante. Tu sens pas passer les vitesses, c't'aussi sensible qu'un chauffeur qui a du gros doigté sur sa transmission… L'autre jour, une roue du *trailer* a barré, j'ai dû m'arrêter dans une côte à treize degrés en montant, j'étais chargé au maximum. J'me suis dit, j'vas manquer de pouvoir, jamais j'vas r'décoller d'icitte. Sur la *clutch,* j'décollais pas d'là sans l'aide d'un aut' *truck* pour me tirer et me r'partir. Mais avec la transmission automatique, le moteur a été capable de r'monter tout seul le voyage. J'en r'viens pas encore ! »

L'homme que j'ai devant moi a les yeux profonds, le verbe facile, l'esprit recueilli des êtres qui aiment ce qu'ils font. Examinant sa calandre, je lui fais remarquer qu'il a tué bien des bibittes durant son voyage. Il me répond que oui, mais qu'on en tuait bien plus il y a quelques années. « Avant, tu faisais cent kilomètres à la brunante, pis tu t'beurrais pas à peu près. Y fallait arrêter pour nettoyer les vitres. Asteure, le climat change… » Mais ce qui désole le plus mon interlocuteur, c'est qu'il a happé un oiseau. Un petit oiseau jaune. Il m'indique le corps minuscule, coincé à la surface du radiateur. « Y s'est pas manqué, le p'tit oiseau, y a frappé comme une roche ! » Curieusement, le corps de l'oiseau est demeuré intact, il est collé au radiateur, bien aplati, on dirait qu'il dort. Ce camionneur arrive de Sept-Îles, où il a livré un plein chargement de gyproc. Il revient avec un gros voyage de planches destiné à Saint-Georges-de-Beauce. Il en a passé, des pentes et des coulées, l'homme avec son camion, il en a vu, des épinettes, mais là, ce qui retient son attention, c'est la mort du petit oiseau jaune.

« Vaut mieux frapper un p'tit oiseau jaune qu'un gros orignal brun, et pis, que voulez-vous, quand on roule, on peut faire toutes sortes de rencontres, des bonnes pis des moins bonnes. » La conversation continue et je lui parle de mon Mack Thermodyne modèle B-61 de l'année 1958, ce beau camion de collection que je conserve précieusement. Il n'en revient pas. Lui qui conduit un Mack dernier cri, il rencontre sur le traversier un homme fatigué qui possède un vieux Mack de cinquante-cinq ans d'âge. « Oui, je l'sais, j'les vois dans ma tête, y étaient beaux, ces vieux Mack là, y étaient ronds… C'tait dur dans le temps des anciens chauffeurs, pas de suspension, pas de chauffage, des pneus qui faisaient dur, des gros volants pas assistés, pis y roulaient des mauvaises routes ! »

En l'espace de dix minutes, nous avions fraternisé, parlé

mécanique, design industriel, logistique, camions de collection, ornithologie, entomologie, changements climatiques, histoire, tradition du bouledogue et autres broutilles. Le *Jos-Deschênes* accostait, mon ami nous a photographiés, le chauffeur et moi, devant le gros Mack rouge ; les photos témoignent que nous étions fiers comme des seigneurs. Puis nous sommes remontés chacun dans nos machines, retournant à nos courses et à nos pensées.

Oui, je roule et je cause, voilà ce que je fais. Je songe à Saint-Georges-de-Beauce, la destination du chauffeur du beau camion rouge, Saint-Georges où j'étais il y a quelques jours pour donner une causerie sur la mort et le scandale de la souffrance. Mais je songe aussi à Thetford Mines, où j'ai donné, il y a quelques autres jours encore, une causerie sur l'histoire francophone et métisse de l'Amérique. À cet endroit, alors que je dédicaçais des livres après ma prestation, un homme se tenait à l'écart et attendait que je sois libéré de l'achalandage avant de m'aborder. Il m'a dit : « Je suis camionneur, je suis venu vous entendre ce soir. Ça fait des années que j'écoute vos histoires sur les routes américaines, dans mon camion. Et là, je vous vois en personne. J'arrive tout juste du Wisconsin, c'est grâce à vous que je reconnais des places comme Fond du Lac, Butte des Morts, Prairie du Chien, Mont Trempealeau et Racine. Nous autres, les chauffeurs US du Québec, on parle de vous entre nous. Lâchez surtout pas. »

Il serait difficile au commun des intellectuels de reconnaître que les camionneurs fréquentent les causeries littéraires, qu'ils apprécient l'histoire et la philosophie, qu'il y a parmi les routiers et les routières de belles âmes sensibles à la poésie des machines, des gens attachés à la beauté des paysages, à la routine de l'histoire et à la tragique condition de vivre. Le chauffeur du camion rouge m'avait parlé du triste sort de l'oiseau jaune. Un chardonneret ou une paruline qui bute contre un camion Mack et, qui plus est, un camion Mack tirant une remorque chargée de planches d'épinette : cela ne pardonne pas. « Il n'a pas souffert », lui ai-je dit. « Je pense ben que non », m'a-t-il répondu, avec un petit sourire. La mort frappe comme une roche sur un museau de camion. Il n'est de beauté qui résiste au choc de sa propre fin. Le temps file jusqu'à ce qu'il ne file plus, certains obstacles ne se contournent pas. Voilà autant de sentences appartenant au livre non écrit de la sagesse des chauffeurs. « Y sont vraiment beaux, ces p'tits oiseaux, on dirait des serins. » En effet. Comment croire que ces oiseaux jaunes vivent l'été dans ces rudes forêts du Nord, comment croire qu'ils survivent à leurs longs voyages ? L'oiseau d'été ne passera pas l'hiver, en tout cas pas celui-ci. Il est libéré du fardeau de sa propre liberté.

L'autre soir, je reçois ce courriel : *Merci m. Bouchard, pour Les remarquables oubliees. Je suis camioneur chez normandin transit. et cette semaine j'ai la chance de allez a fair de drop a Taos New Mexico et Embudo dans le meme etat. Je suis tres contant de mon voyage et de la chance de pouvair suivre la trace de la histoire...... Merci encore de me avoir fait decouvrir cette magnifique partie de la histoire quebecoise... Que vivan los remarcables olvidados......... Desole de mon ecriture... ma langue maternalle ce el español....... signé : Felipe.*

Vous êtes tout excusé, monsieur Felipe. Vos fautes de français sont de bon aloi, considérant que ce message, écrit dans une cabine de camion, lancé sur le web à l'aveuglette, vous venait du fond du cœur. Je sais que Normandin Transit est une entreprise qui utilise des Kenworth de couleur bleu marine, et je croise souvent vos blanches remorques, car vous êtes nombreux à sillonner les routes. Moi aussi, tout comme vous, j'aurais été très heureux d'aller faire un *drop* à Taos et à Embudo et de rouler dans les traces d'Étienne Provost, le roi des montagnes, celles de Juan Batista Chalifou, le chef des Chaguanosos, celles de Toussaint Charbonneau, le guide mal aimé de l'expédition de Lewis et Clark, celles de François-Xavier Aubry, le patron des convoyeurs et des ouvreurs de pistes, celles de Joseph Philibert, des frères Robidoux, des frères Mercure, tous des familiers de la piste de Santa Fe. Oui, de Sainte-Foy à Santa Fe, une piste pleine de tribulations canadiennes-françaises injustement oubliées. Jean-Baptiste Chalifoux, de son vrai nom, avait construit un poste de traite à Embudo, il s'était marié à Taos avec une Mexicaine et sa descendance hispano-québécoise, qui vit au Colorado, cultive sa mémoire encore aujourd'hui.

Le courriel de Felipe m'est plus précieux qu'une critique élogieuse dans une revue de prestige. Car je passe ma vie sur les routes, je ne m'arrête jamais dans les salons de la bonne société. Je suis bouleversé lorsque, dans un *truck stop,* un homme vient me parler du grand lac des Esclaves, d'où il arrive au volant de son camion, et qui me dit avoir écouté l'histoire de Thanadelthur durant le trajet. Cela me rassure sur la valeur de certaines choses. Les camionneurs écoutent mes histoires et il est vrai qu'ils me reconnaissent parfois lorsque nos chemins se croisent. Ils m'encouragent, comme si ces histoires étaient bien importantes ; je suis en quelque sorte leur ami, une voix qui les accompagne, qui les intéresse et, peut-être, les rassure. D'autres, jadis, des gens comme eux et moi, ont voulu être libres, d'autres ont traversé les nuits et les jours, solitaires dans l'espace, cependant heureux de la course.

Mais qui est Thanadelthur, cette femme chippewyane, et que vient-elle faire dans une réflexion sur la mort accidentelle d'un petit oiseau jaune ? C'est comme les camions rouges, le mot de Felipe, les bouledogues et les bibittes. Il y a des talles d'épinettes, des villes et des villages, des autoroutes et des enseignes commerciales, des champs abandonnés et des cours d'usine, bref, il y a la grande scène de nos vies qui fait le trait d'union entre tous ces éléments en apparence disparates. Sur le traversier, pendant quelques minutes, nous avons jasé de quoi, sinon de liberté sauvage dans le temps et l'espace ? Nous aspirons à la dérive absolue ; rouler permet de ressentir les effets de ce mouvement de l'âme. Cette liberté nous autorise à raconter la vie courageuse d'une grande Déné, Thanadelthur. Elle permet de regarder son *truck* et de le trouver beau, de posséder son Amérique de bord en bord, de sentir le pouls de ses paysages, de s'attendrir sur la mort d'un oiseau ; elle permet surtout de s'éloigner le plus possible des tendances du jour qui nourrissent le bruit exaspérant que font les sociétés trop cultivées.

Traité de la boulette

Conte de Noël

Il est deux choses étrangères au cœur de ma blonde, le ragoût de pattes de cochon et le football américain. Autrement, nous formons un couple très amoureux. Comme quoi le bonheur des ménages ne s'appuie pas sur le parfait accord des goûts et des penchants. Mieux, s'entendre sur le fossé immense qui le sépare est le fondement même de la pérennité d'un couple. Savoir que les boulettes de viande, soient-elles d'agneau, de veau, de porc, de bœuf, ne disent rien à l'autre, qui ne carbure qu'aux recettes contemporaines de nuages saumonés garnis de filaments d'asperges fumées sur pleurotes grillés, n'est pas pour changer la relation. Bien au contraire, respectons les genres : à chacun son assiette, sa bible culinaire, mais surtout, sa récompense essentielle. Suivre le football américain appartient à ma recherche de plaisirs souverains ; voir un match à la télé est un moment simple et précieux où ma tête fait relâche de ses tensions habituelles pour se laisser aller innocemment sur les chemins du jeu. De tout cela, ma blonde se tient à belle distance. Toutefois, preuve d'amour s'il en est, elle entend bien ce qui se passe et il ne lui viendrait pas à l'idée de contrarier ce plaisir.

Lorsque le temps des fêtes arrive, je n'espère pas le sapin

illuminé, le sourire des enfants, les repas en famille, les voyagements, l'euphorie de Times Square, les hourras et les accolades, les cadeaux, le champagne, les merveilles, la messe de minuit et les élans de nostalgie. Je pense aux nombreux matchs de football qui seront télévisés durant cette période. Et je vois arriver dès novembre le summum de ce moment béni, cet intermède sacré dans le cycle routinier de l'année profane et civile, la période dite du temps des fêtes. Le temps suspendra une autre fois son vol, je vais me reposer pendant deux semaines sans obligation aucune, sans heure de tombée, sans défi à relever, sans destination, sans kilomètres à enfiler. Mes émissions de radio préenregistrées, je regarderai deux parties successives opposant mes équipes préférées, les Bears de Chicago aux Packers de Green Bay sous la neige du Wisconsin ou les Saints de La Nouvelle-Orléans aux Lions de Détroit. Je ne lèverai pas le nez sur une partie des Giants de New York contre les Ravens de Baltimore. Sans parler du légendaire Rose Bowl, qui se joue au Nouvel An à Pasadena en Californie devant cent mille personnes et qui voit s'affronter les équipes non moins légendaires des universités américaines. Je suivrai chaque jeu sans être dérangé, sans avoir à parler ou à réfléchir, en mangeant à satiété du ragoût de pattes et de boulettes, celui du monde de nos grands-mères à l'époque des gros hivers et des grands encabanements. C'est cela, les Fêtes : un bon ragoût et du football sur grand écran.

Car il faut l'admettre, les temps sont durs et la vie exige. Dehors, il neige, le vent souffle le froid dans toutes les directions ; il le fait rebondir sur les murs des maisons, sur les troncs des arbres endormis, la neige fine s'engouffre dans les sorties et les entrées, la lumière blafarde du solstice d'hiver nous enferme. Nous sommes ensevelis, le temps nous décourage. L'écureuil roux ne sait plus où donner de la queue, dont il se sert comme d'un manteau de fourrure. Il se la relève pour se la coller au corps, l'ajustant jusque sur le dessus de sa tête. Voilà sa bougrine, voilà son parka. Il tourne le dos à l'est, il tourne le dos à l'ouest, il se recroqueville, il sautille, rien n'y fait, la soufflerie du Nord tournoie encore plus fort pour mieux lui redresser le poil. L'air froid et la neige piquante traversent son système de défense. Alors, il s'énerve, le petit écureuil, il s'agite et se cherche un recoin où échapper aux vents et aux tourmentes. Cette montagne de glace est la montagne de ses soucis, c'est le banc de neige de sa fatigue. L'écureuil s'épuise, son petit cœur bat trop vite et il en a assez. Quelle sera donc sa récompense ? Un endroit à l'abri où se réfugier, une anfractuosité dans le corps sec d'un bouleau mort, là où le vent abandonne sa poursuite, un trou où se mettre en boule, avec des graines de tournesol et des croûtes de toasts à manger, tout en fixant à l'extérieur la sittelle qui grelotte sur une brindille gelée, juste en face de son poste d'observation. Oui, sa récompense sera un abri, la paix, un petit temps mort.

Car les mammifères aiment les plaisirs simples. Mon football à la télé, ce n'est pas grand-chose, finalement. Le ragoût non plus, qui est un plat de pattes de cochon rehaussé de boulettes de porc appartenant au menu élémentaire des pays froids. Sortons de l'armoire les recettes de l'hiver, offrons-nous des cretons et de la tête fromagée, sortons le porc, les tourtières, sortons la viande sauvage et la graisse de rôti ! Autrefois, les anciens achetaient du boucher une tête de cochon qu'ils enveloppaient dans un tissu de coton dit « coton à fromage » pour la faire cuire dans un grand chaudron. Ensuite, ils « déviandaient » la pièce pour créer la très délicieuse tête fromagée.

Hymne à la viande, force du lard contre le coup de froid, chaleur réconfortante du gras contre l'effort. Cette graisse sauve la vie de l'oiseau gelé, elle est pleine de sens et d'énergie dans le chaudron de la vie. L'assiette traditionnelle a reconnu la tablée rituelle de notre simplicité volontaire. Il est vain de poursuivre cent lièvres à la fois, l'argent, le pouvoir, le plaisir continu, le Sud, les belles voitures, les casinos, il est inutile de vouloir gagner toutes les courses, posséder tous les jeux, goûter à tous les desserts, à toutes les saveurs, à toutes les lumières. Le temps des fêtes à Las Vegas, ce n'est pas ma tasse de thé, disait le Canadien errant. Aux internationaux du bonheur humain, les choses sont beaucoup plus simples. S'étourdir et hurler ne sont pas les premiers outils de la méditation sacrée. Le trou de l'écureuil vaut bien l'illumination des Champs-Élysées. Car le désespoir d'un être brisé ne s'entend pas facilement au beau milieu d'un gros party.

Lise Maynard, avec qui j'ai travaillé pendant plusieurs années dans le cadre de l'émission *Les Chemins de travers* à la radio de Radio-Canada, me prépare toujours un bon ragoût de boulettes pour le temps des Fêtes. C'est en grande cérémonie qu'elle me l'apporte chez moi. Son sens du sacré ne s'arrête pas là. Une année, elle m'a même offert un livre en cadeau : *Petit traité de la boulette.* L'auteur est belge et son travail est précieux. En plus de rendre un hommage touchant à la boulette de viande, il fait aussi un tour du monde pour nous parler de la boulette italienne, de la boulette tsigane, de la boulette turque, de la boulette thaïlandaise et ainsi de suite, en passant par la boulette de bison du Far West et la boulette de pois chiches des Bédouins. Évidemment, son ouvrage recense le ragoût de pattes de cochon et de boulettes des Québécois, un classique dans l'histoire de l'humanité (c'est moi qui précise) ! Le paradoxe est grand : nous n'avons jamais été trop fiers de notre gastronomie. Du cochon nous avons pris la tête, et les côtes, et les pattes ; nous en avons fait des cretons, de la viande hachée, du rôti de porc avec des patates jaunes cuites dans sa graisse et, bien entendu, des boulettes de toutes tailles et de toute venue.

Mais nous n'avons jamais pensé que nos plats valaient ceux des vieux pays, que nos tartes à la farlouche valaient la tarte Tatin, que notre pain de ménage accotait la baguette et que nos boulettes s'inscrivaient dans un élan œcuménique propre à une grande tradition culinaire planétaire. La boulette, c'est de l'amour, elle représente la symbolique de la boule qui est une âme recroquevillée, le partage du plat chaud en sauce, le pot de la convivialité nordique.

Reste le football américain. Jeune, j'ai pratiqué ce sport, j'en saisis toutes les subtilités, toutes les finesses, mais encore, j'en saisis le sens brutal et revivifiant. Le plaisir de jouer n'a d'égal que le plaisir de regarder le jeu. Alors, je ne me pose pas de questions inutiles, je m'installe confortablement devant l'écran et l'affaire me repose immensément. Cela me permet de tirer ma révérence pendant deux ou trois heures, de me garder un quant-à-moi thérapeutique dans ce monde familial exigeant et parfois trop intense. Je me repose surtout du monde en général et de l'éreintante actualité. Je me retrouve priant devant l'autel tranquille de mes vœux les plus pieux. Mon attention va des statistiques des équipes aux couleurs de leurs uniformes, des stratégies des instructeurs au temps qu'il fait à Kansas City, de la blessure d'un quart-arrière aux exploits d'un demi de coin. Le spectacle me réjouit sans bon sens car, en ce qui me concerne, ce jeu est bon à penser. Il est fait sur mesure pour que je puisse me recueillir et je dirais, comme pour l'écureuil attaqué par le froid, pour que je puisse me récompenser et me refaire, en boule dans un coin, en regardant la sittelle sur la brindille gelée.

Cette année, pour Noël et le jour de l'An, nous sommes allés dans la famille de ma blonde à Québec. Nous avons donc rejoint la communauté des nomades qui se déplacent sur les routes pendant le temps des Fêtes pour « aller en visite » dans la parenté. Comme tous ces nomades au long cours, afin de parcourir les 380 kilomètres qui séparent Huberdeau de Québec, il nous a fallu franchir des montagnes de misère, une tempête de neige de 45 centimètres, des autoroutes fermées, des bouchons périurbains, des carambolages, de la poudrerie latérale, une visibilité nulle sur chaussée enneigée, le vent glacial, la routine, quoi... Fatigués de la longue route où le temps hivernal avait si bien sévi, nous devions maintenant sortir les bagages et les cadeaux empilés dans la voiture comme le matériel hétéroclite accumulé dans les charriots des pionniers au temps de la piste de l'Oregon : voilà que nous installions nos pénates pour quelques jours dans une maison qui n'était pas la nôtre.

L'expérience se révèle toujours éprouvante : « être en visite » dans la maison d'une autre famille est devenu au fil du temps un test culturel et technique de haut niveau. Jusqu'à hier, nos intérieurs se ressemblaient assez. Aujourd'hui, nos maisons sont si différentes que vivre au sein d'un décor étranger revient à marcher sur des œufs. Comment fonctionne la cafetière, la robinetterie, les triples manettes des quatre téléviseurs ? Quelle salle de bain utiliser, comment faire fonctionner la laveuse à vaisselle, comment ne pas déclencher les systèmes d'alarme, quels sont les codes, les commutateurs cachés ? Que faire pour éviter de dérégler à jamais les interfaces électroniques de la maison intelligente ? La liste des attentions et des prescriptions est infinie qui nous montre combien nos maisons sont devenues aussi complexes que des forteresses de rayons laser.

En ce monde cruel de l'efficacité instrumentale, plus que jamais je me concentre sur la récompense anticipée. Nous sommes dimanche et en soirée se dispute un grand match entre les 49ers de San Francisco et les Seahawks de Seattle. Une fois les retrouvailles complétées, une fois les vœux exprimés, sachant que nous sommes là pour plusieurs jours, je me remets à espérer. J'espère le ragoût et le repos, je souhaite la télé, je veux voir des images de Seattle. Ce match, je ne le verrai pas : ma belle-sœur et mon beau-frère, qui ne sont pas des amateurs de sport, m'informent comme ça, mine de rien, qu'ils n'ont pas d'abonnement aux postes qui diffusent les matchs. Ils sont branchés sur ARTV, Explora, Canal Vie, RDI, CNN, TV5, Télétoon et j'en passe, mais pas sur le Réseau des sports ni sur les postes américains diffusant du football ! La nouvelle est renversante et elle me désespère. Ma blonde baisse la tête, mesurant en son cœur l'ampleur de la catastrophe. Elle ne sait rien du football, mais elle sait tout de son homme. Elle comprend que cet homme a une propension au bonheur simple. Elle a toujours su que son mammifère supérieur n'avait pas besoin de mille cadeaux, de voyages au Mexique, de gadgets numériques pour être content à Noël. La simple paix suffit : du football et du ragoût, voilà qui a toujours calmé, qui calme et calmera son gros écureuil. Elle viendra vite à mon secours et plaidera ma cause avec la conviction d'une avocate d'élite, rappelant à nos hôtes que je tiens réellement à regarder mes matchs et qu'il est impératif de s'abonner aux postes sportifs. Pour ce soir c'est foutu, car chacun s'active au repas et à l'emballage des cadeaux, mais il ne faudrait pas que la chose soit prise à la légère. En attendant le branchement exceptionnel, je devrai me consoler en lisant la biographie de John George Lambton, dit Lord Durham, un livre pris au hasard sur les rayons d'une bibliothèque oubliée dans le sous-sol de la maison. Intéressante, l'Angleterre de 1830 ; elles sont passionnantes, les vies ridicules des lords anglais réformistes de cette époque, surtout lorsque San Francisco joue contre Seattle.

Reste le ragoût de boulettes. Je voudrais en manger le plus rapidement possible ; cela me consolerait fort. Mais je devrai attendre et m'inquiéter. Au sortir de la route, à quelques heures de la veille de Noël, dans l'esprit du temps des fêtes, le menu de ce premier souper de famille tient dans un plat de semoule aux crevettes roses, avec salade de haricots fins garnie de poivrons en cubes, tomates séchées en sus, le tout rehaussé de tranches fines de saumon fumé sur un lit de citron glacé. L'écureuil est loin de ses croûtes de toasts. L'attente va d'ailleurs se prolonger, augmentant d'autant mes inquiétudes : il faudra passer par la lasagne végétarienne, les crêpes farcies aux pattes de crabe (et non de cochon), les asperges en sauce et même un délicat sauté de tofu. Je perds lentement confiance.

Heureusement, la grand-mère existe qui joue son rôle comme dans bien des contes pour enfants. Elle me rassure, souffle de bons mots à mon oreille. Il ne faut pas que je m'inquiète, dit-elle, la récompense vient à qui sait attendre. Elle reconnaît d'instinct et de tradition ce qui me préoccupe. La mère de ma blonde est philosophe, ethnologue et curieuse ; c'est une femme toujours active qui sait ce que mangeaient les anciens Canadiens. Elle a fait du ragoût de pattes et de boulettes pour toute la compagnie. Elle a aussi cuisiné de la tête fromagée et elle a apporté avec elle des pots précieux de betteraves maison. Je ne dis rien de son inimitable farce et du goût sucré des atocas qu'elle a fait cuire *elle-même.* Bref, la grand-maman a bataillé sur tous les fronts pour que chacun trouve son compte. En un mot, elle sait l'art de recevoir, elle se met volontiers dans l'esprit recevant.

John George Lambton, comte de Durham, a vu dans le bonheur et le ragoût des Canadiens de 1838 les marques indélébiles d'une profonde tare culturelle, le contentement primitif d'un peuple sans histoire et sans littérature. Il a vu de loin des villages innocents remplis de paysans satisfaits. Le rapport Durham note que les Canadiens français sont forts sur la boulette, qu'ils sont très ouverts, apparemment heureux et franchement recevants. Mais il observe que leur monde, aussi vigoureux et paisible soit-il, demeure sans génie. Ce jugement de valeur, de la part d'un lord britannique dont la culture nationale n'a jamais eu aucune réputation culinaire, constitue un comble. D'autant plus que le gouverneur n'a jamais fréquenté nos ancêtres et qu'il fondait son jugement sur des ouï-dire provenant de tiers anglophones de fort mauvaise foi. Car si Durham avait vraiment fait une enquête de terrain parmi les Habitants, s'il avait réellement mis les pieds dans une cuisine canadienne, s'il était sorti de sa cour et de ses souliers vernis, il en aurait goûté, du ragoût de pattes, il en aurait mangé, des boulettes, il en aurait vu, des grands-mères maternelles, gardiennes de la santé physique et mentale de leurs familles, et il n'aurait conséquemment jamais écrit ses célèbres inepties sur la disparition inévitable des francophones d'Amérique.

Le bonheur est simple, universel, intemporel, il tient dans une boulette, dans un ballon de football, dans le cœur d'une amoureuse et dans celui d'une grand-mère vivante et recevante qui s'occupera des enfants et des palabres familiaux pendant que le gros écureuil se recueillera dans son trou, en repli stratégique. L'histoire finit bien qui me verra, entre Noël et le jour de l'An, manger de cet excellent ragoût devant un écran géant sur lequel je surveillerai les Redskins de Washington battre les Cowboys de Dallas. Les Indiens qui humilient les Cowboys, cela, je vous le jure, vaut un *Minuit, chrétiens.*

Le bâton de vieillesse est un bâton mérité

Il n'y a pas de honte à chanceler. Les petits enfants et les très vieux se ressemblent : ils agrippent des chaises et des marchettes, ils sont fragiles sur pattes, et cette maladresse apparaît normale à celui qui fait son entrée dans la vie comme à celle qui trottine dans le couloir de sortie. L'enfant apprend à marcher, le vieux apprend à s'asseoir. Dans les deux cas, cela peut entraîner quelques larmes. Aux deux extrémités du temps de vivre, le besoin de consolation est immense.

Le corps est un compagnon que nous devons apprivoiser, cela prend des années à l'habiter correctement. Il nous sert bien pendant un certain temps, nous lui faisons confiance, il est fort et fidèle, il avance à grand train, il sait tomber, il sait comment se relever, il s'étire, il se blesse, s'autorépare, c'est une machine merveilleuse qui peut faire des exploits et battre des records. Mais ce faisant, il consomme du carburant, il s'use, il épuise des réserves qu'il ne peut renouveler. Dans l'histoire universelle de l'humain, nul n'a jamais gardé la forme indéfiniment. Le mot *vivant* est synonyme de *vieillissant.*

Seuls les vendeurs d'éternité vous diront le contraire. Et les vendeurs de faux visages, de crèmes de jouvence, de recettes antioxydantes font aujourd'hui des affaires d'or. Personne ne veut reconnaître que l'allongement de l'espérance de vie n'est rien d'autre que l'allongement du temps passé à vieillir. Le corps est sain, il récupère, il fonctionne pleinement jusqu'au jour où vous sentez quelques failles dans le système. Vos forces ne sont plus les mêmes, autant dire qu'elles vous abandonnent graduellement. Chanceux celui qui « descend égal », celui qui ne sera pas foudroyé par un cancer, en pleine course. La vie est bel et bien un sport extrême et dangereux. Les métaphores sont multiples qui tentent d'atténuer la dure réalité de ce phénomène. Y a-t-il vraiment un âge d'or ? Non, pas vraiment.

Le tout-petit apprend à être jeune, il dépense une énergie considérable pour devenir grand, pour faire comme les grands. D'ailleurs, il vieillit à la vitesse grand V, chacun peut l'observer dans les étapes successives de sa croissance, voyez comme il a changé en une seule année ! Ce n'est pas long qu'il va à l'école, qu'il prend l'autobus, le voilà de plus en plus autonome sur les routes de sa propre vie. On peut parler d'un vieillissement rapide. Nous utilisons plus volontiers l'expression : « Mon Dieu qu'il a vieilli ! » en parlant d'un jeune de dix-huit ans que nous avons connu à huit ans qu'en parlant d'une *matante* de soixante-quinze ans que nous n'avions pas vue depuis dix ans.

Pour ce qui est de vieillir, il n'y a pas d'âge. Une athlète de quarante ans est une vieille athlète à l'échelle de son sport de pointe, elle ne peut plus skier comme avant, elle a perdu la fraction de seconde… Il faut alors se retirer de la compétition. Le vieux joueur de hockey, qui fut un champion, patine « sur la bottine » lors des cérémonies de commémoration nostalgique. *Dura lex, sed lex.* L'humain sait depuis toujours que la vieillesse est un naufrage, une série de deuils, une suite de renonciations, il sait que la sagesse et la philosophie de la résignation sont les seuls recours en ces circonstances. La vieille apprend encore, elle apprend à être vieille. Le vieux interroge la vie jusqu'à son dernier souffle. Et la strophe de Nelligan résonne de toute la puissance poétique de ces quelques mots : « Qu'est-ce que le spasme de vivre ? »

Nous vieillissons jusqu'à la dernière seconde de notre dernière heure. Seule la mort nous libère du poids de ce corps qui, avec le temps, s'est métamorphosé au point de devenir insupportable. Une chaise berçante, cela se mérite, tout comme le bâton de vieillesse ; un jour vient où il faut désapprendre à cavaler comme un jeunot tout comme on avait appris à rouler tempête. C'est la décélération fondamentale, le ralentissement de l'être. Le jeune est un vieux en devenir et le vieux est un jeune parvenu.

Celui qui a écrit que la vie est une maladie incurable ne pouvait mieux illustrer la condition du vivant. Cette maladie commence à la naissance et elle s'étale sur le temps d'une vie. L'âge avancé est un âge où l'on se prépare, un âge où l'on répète sa sortie, l'âge où, dans sa tête, on se réconcilie avec soi-même. Du moins, il faut l'espérer. Oui, je revois ma tante Ida, perdue dans ses pensées, bien assise dans sa chaise berçante, j'entends encore le bruit de son bercement régulier, comme si elle prenait son élan. Jusqu'au jour où la berçante s'est immobilisée, la vieille étant partie à force de s'élancer.

Naître vient avec un grave inconvénient : la temporalité. Le lendemain de sa naissance, le poupon est déjà vieux d'un jour. Cette journée-là, la première de toutes les autres journées d'une vie, ne pourra plus jamais être rattrapée. Elle s'inscrit déjà au passif du temps passé. Le nouveau-né est déjà moins nouveau une heure après sa naissance. Les gènes, les cellules, le programme, tout est en place et bien à l'œuvre. J'aime le mot *destin*, il n'est pas très scientifique, mais ce qu'il a à dire, il le dit bien. L'espoir d'échapper à sa propre dégénérescence est un rêve contrenature.

La sagesse consiste donc à danser avec l'absurde courbe du temps, dirait-on, tout en espérant éviter le plus longtemps possible le scandale de la grande souffrance. Plus la vie se prolonge, plus nous sommes à risque d'en perdre des morceaux. Dans mon cas, entre autres pertes et déchéances, ce sont mes jambes qui me laissent tomber, résultat catastrophique d'un coincement neurologique survenu dans ma moelle épinière. Je me suis donc mis à aimer ma canne, lui trouvant des vertus qui dépassent sa stricte utilité. Elle est élégante, c'est un objet qui me rassure, j'en caresse le pommeau lorsque je suis en attente, je peux m'en servir pour donner des ordres, des directions, et nous savons tous que la canne est l'arme du vieux qui veut se faire entendre.

L'été dernier, la canne n'a pas suffi, j'ai dû m'asseoir. J'étais en vacances à New York avec ma petite famille. Nous savions que nous allions devoir nous déplacer d'un bout à l'autre de Manhattan. Nous avons fait les choses habituelles et ordinaires des gens qui se préparent à faire du tourisme urbain, c'est-à-dire louer une chambre d'hôtel, réserver des billets de spectacle et ainsi de suite. Mais ma blonde avait discrètement pris cette précaution extraordinaire. Au cas où je serais incapable d'arpenter les grandes avenues, elle avait réservé une chaise roulante qui fut livrée à l'hôtel le jour de notre arrivée. Et incapable, je le fus.

Je passe sur l'état d'âme, la détresse psychologique, la désastreuse impression de frapper le fond, le mur, la fin. Les vieux adages conviennent fort bien aux vieux : contre mauvaise fortune, bon cœur. J'ai vu Manhattan différemment, à hauteur de chaise roulante, poussé par ma blonde et ma fille, qui se sont fait des bras et des mollets. Il y a eu des essoufflements, des grognements et quelques rires sincères.

Il faut danser avec la vie, même quand le plancher de danse se défile sous vos pieds. Jadis, sur une autre planète, les vieux et les vieilles s'éternisaient dans des chaises berçantes et regardaient danser la belle jeunesse. Les vieux et les vieilles, souvent édentés, fumaient la pipe, et de cette pipe ancienne je rêve, car ils en fumaient du bon.

Voyage au bout de l'espérance

Si j'avais un vaisseau pour explorer l'espace, je l'appellerais *Espérance.* Je me vois aux commandes, les yeux rivés sur l'immense tableau de bord, sur les boutons, les voyants, jetant parfois un regard à travers le hublot alors que l'appareil s'enfoncerait dans le noir, entre deux systèmes solaires, ailleurs dans la galaxie. Les années succédant aux années, le temps de vol s'éternisant dans le siècle, mes passagers et moi aurions depuis longtemps oublié notre point de départ, et je ne saurais rien de notre destinée. Mes jours se passeraient en différents calculs à propos des réserves de carburant, des probabilités de frapper un mur d'astéroïdes, de l'énergie et de l'élan, de la machine à oxygène, de l'assurance de ne jamais arriver, de la certitude de ne plus jamais pouvoir revenir. Où sommes-nous sur la carte, où sommes-nous dans cette infinitude qui embrouille notre position ?

Impression de déjà-vu : cette dérive de naufragés, cette fuite dans le rien, tel est le voyage de nos vies. Certains feignent de gérer, de piloter, de contrôler, prétendant s'y connaître. D'autres ne disent rien et font le ménage à l'intérieur du vaisseau, frottant et astiquant les cabines, les machines, bienheureux de se trouver dans la chaleur de la capsule, plutôt que dans le froid du vide. Mais chez tous, la nervosité est palpable quand il s'agit de réfléchir à ce que nous faisons dans cette galère. Qui nous a fait monter et quand descendrons-nous ?

* * *

Mon père se préparait à descendre du vaisseau. Devenu vieux, il parlait souvent de la mort, avec humour et, peut-être, avec sagesse. Depuis qu'il avait atteint ses soixante-quinze ans, il prétendait vivre en sursis, comme en prolongation de match. Car pour lui, ces soixante-quinze ans représentaient le temps normal de la vie d'un homme. Mourir avant aurait été un vol, mourir après respectait l'ordre naturel des choses. Suivant son raisonnement, chaque minute vécue au-delà de la limite était un cadeau de la vie. Son « temps supplémentaire » aura duré sept ans. Un beau bonus, en vérité. Aussi, parvenu à l'âge très vénérable et très raisonnable de quatre-vingt-deux ans, il se disait prêt à partir n'importe quand. Un soir d'hiver, par un froid extrême, il a eu un malaise cardiaque en regardant la télévision. Avec l'aide de ma mère, je lui ai mis un gros manteau et l'ai soutenu jusqu'à ma voiture pour le conduire d'urgence à l'hôpital. Il était tout à fait conscient, et sa voix, posée, se faisait presque rassurante : « Ne t'énerve pas, mon fils, ralentis… Inutile de faire de la vitesse sur cette route glacée… Tout va bien, tout va bien. » Et il a ajouté ces mots, avec une belle résignation : « Il faut bien mourir un jour… » Après un long moment de silence, alors que la tension baissait d'un cran et qu'une sorte de paix me gagnait, soudain la voix de mon père, une octave plus haute, a fusé comme un missile : « Accélère, accélère !… J'ai repensé à mon affaire, je veux pas mourir maintenant… Envoye, vite, mon gars ! J'suis pas prêt à partir… Pas tout de suite, pas ce soir ! » La nature l'a entendu, il a vécu quinze jours de plus.

* * *

Nous vivons tous les jours le vertige de Blaise Pascal, la frayeur en face de l'immense. C'est l'angoisse bien humaine de celui qui se lève seul la nuit, s'assoit dans le silence et réfléchit à tout cela en engouffrant une rangée de biscuits aux pépites de chocolat. Dans les circonstances, n'est-il pas attendrissant, le geste de se croiser les doigts ? Nous sommes embarqués sur une nef livrée aux vents, aux creux et aux tourbillons, nous sommes emprisonnés dans la navette, captifs, poussés par l'élan de vie, sans autre choix que de filer vers l'avant sur cette route incertaine nommée *existence.* C'est parfois tranquille, souvent tempétueux, quelquefois dramatique. La durée du voyage ne se négocie pas. Sa direction non plus. Notre avenir est un grand vide indéterminé que nous comblons en étant. Seulement cela, être.

Nous espérons découvrir une terre merveilleuse, d'un bleu mystérieux, là où la vie ne meurt jamais, là où les loups ne mangent pas les lièvres, une planète douce, sans volcan ni tempête, où les rivières coulent dans les deux sens, où nous n'aurions qu'à tendre la main pour cueillir des pêches et des oranges avec de la crème, des noix, des raisins, des beignes au miel, un monde paisible sans menace aucune, ni de la part du vent ni de la part du froid, où nous ne serions jamais malades et jamais vieux, mais entourés d'amour, d'intelligence, de bons vins et de bons mots. Cette planète imaginaire est devant nous, quelque part dans l'infini indéfini, et c'est bien elle que le vaisseau *Espérance* tente d'atteindre, sans avoir le moindre indice de sa localisation.

La souffrance fait partie du voyage, toujours aussi scandaleuse, toujours absurde. Nous perdons des compagnons, des frères d'armes, des âmes sœurs, nous perdons des bouts et des morceaux. Nous pleurons nos disparus, crions notre douleur, ravalons nos peines. Où sont passés nos morts et pourquoi sont-ils morts ? Que signifie cet accident, quelle est la nature de cette maladie ? Quel est le sens des mots *incurable* et *irréparable* ? Pourquoi *hélas !* est-il le mot le plus poignant dans le lexique de nos peines ?

* * *

Ma sœur est partie en criant : « Maman ! » Elle a lancé le cri de la peur ultime, comme si ce cri, « Maman ! », allait atténuer le coup, possiblement le parer. Elle ne voulait pas descendre du vaisseau. Mais sa maladie était incurable, il lui fallait mourir. Malgré tout, malgré la conscience de son état, elle ne pouvait s'y résoudre. En vérité, elle criait au secours, et de secours, elle n'en pouvait espérer aucun. Ma sœur a quitté la navette contre son gré, s'y accrochant jusqu'à la dernière seconde, les yeux fixés sur le vivant, faisant dos à la mort. Puis, il a bien fallu qu'elle passe, elle est passée, libérée de son angoisse, calme finalement. Qu'aurait-elle pu craindre, maintenant ? On ne meurt pas deux fois.

Notre mère, elle, sur son lit de mort, appelait le bon Dieu. Je n'en croyais pas mes oreilles. À quatre-vingt-douze ans, alors que son corps se déglinguait pièce par pièce, notre mère athée, notre mère qui haïssait les curés, les soutanes, l'eau bénite, l'odeur de l'encens, dans un long murmure ininterrompu suppliait Dieu de mettre fin à ses souffrances. Dieu est bien commode, au moment de partir. Notre mère rendait les armes qu'elle avait tenues si hautes tout au long de sa vie. Cette reddition la réconfortait en quelque sorte. Je ris encore d'imaginer combien Dieu a dû être étonné de voir s'adresser à lui cette « inconnue ».

* * *

Puisque nous n'y pouvons rien, ni contre la vie trop courte ni contre la vie trop longue, la meilleure posture à adopter consiste sans doute à se laisser aller, cela ne peut que nous détendre. Le marin abandonne le gouvernail, déchire ses voiles et laisse son esquif dériver par les vents et les courants ; il se réfugie dans le fond de son bateau, en position fœtale, attendant le pire, la vague qui va le retourner, le coup ultime qui va le perdre pour toujours. À la limite du supportable, le pauvre peut trouer sa coque pour hâter l'œuvre de la tempête *Fatalité.* Personne ne lui reprochera d'avoir fui le mauvais temps. Mais si, contre toute attente, la vague scélérate n'arrivait pas ? Si un vent doux venait bercer, presque tendrement, son esquif ? Quand il n'y a plus d'espoir, reste toujours l'espérance. C'est la carte cachée, l'ultime. Tout est possible, tout peut arriver, y compris l'inédit, le miracle, le sans précédent. Un tel renaît de ses cendres, il se relève contre toute attente, la balle a évité le cœur, rien n'explique certains retours. Tout peut advenir, y compris la résolution finale qui consiste à se préparer à partir pour de bon. Se résoudre dans le calme à braver l'innommable, quoi qu'il advienne, est encore une attitude espérante. Car qui sait ce que l'après nous réserve ? Il faut parier contre l'absurde, il n'est d'autre choix à l'horizon de la conscience.

* * *

J'ai déjà parlé de Ginette, ma première femme. La batailleuse. L'espérante. Oui, elle a espéré longtemps un retournement, un miracle, sauf qu'un jour elle en a eu assez. Ses cinq cancers avaient épuisé ses forces vives, sa volonté. Elle était désolée, au regret, mais elle ne pouvait plus respirer, littéralement. Ma belle et forte femme était prête à partir. Fin prête. Un soir, au beau milieu du mois de mai, elle est entrée à la maison, elle a déposé ses clés de voiture sur le comptoir de cuisine, elle m'a regardé dans les yeux et a dit : « Je suis arrivée, je ne ressortirai plus... » Une semaine plus tard, elle rendait son dernier souffle, non sans m'avoir souri une dernière fois. Je me souviens avec tendresse de nos déclarations d'amour. Car ce qu'elle cherchait par-dessus tout, c'était la sérénité. Dans un effort ultime pour me rassurer et pour se donner elle-même du courage, elle a su me faire comprendre qu'elle l'avait trouvée.

* * *

L'affaire se résume au mouvement d'avancer, pour le meilleur et pour le pire. Et bien sûr, tout au long du chemin d'exister, l'amour constitue le plus grand des problèmes. Être est déjà difficile, être en amour est franchement risqué. Quand il nous abandonne, cela crève le cœur. Mais quand il nous habite, il nous le crève aussi : comment tout cela va-t-il finir, quand allons-nous le perdre ? Arriverons-nous au port ? Nous restera-t-il assez de temps ? En face de pareilles angoisses, on se demande toujours s'il ne serait pas préférable de s'abstenir, si nous ne serions pas mieux avisés de ne jamais aimer, de n'aimer personne et de n'être aimés de personne. Sans amour, on ne s'inquiète de rien, on évite les peines profondes, les blessures et les arrachements. Mais y a-t-il vraiment un bénéfice dans le détachement absolu ? Je crois que non. La vraie liberté est affaire de solitude et nous ne sommes pas faits pour être seuls. Peut-être ne sommes-nous pas faits pour la liberté. Car, qu'on se le dise, cela n'existe pas, l'amour libre. Nous sommes des êtres si attachants, si attachés, que nous finissons par tenir à nos liens comme à la prunelle de nos yeux.

Et tournent et retournent les questions, ce qui nous ramène toujours à la première, finalement, à la question d'entre les questions : qui m'a fait monter dans ce vaisseau, quand et comment en descendrai-je ? Que s'est-il passé le jour avant ma venue au monde ? Dans l'entrepôt du non-être, qui m'a remarqué, m'a sélectionné ? Qui m'a dit : « C'est ton tour, te voilà conçu, te voilà dans le corridor qui te conduit à l'orifice de ta naissance… jusqu'au tunnel qui te conduira à l'orifice de sortie » ?

Aux alentours de ma chaloupe qui prend l'eau, je perçois encore la beauté du monde, je m'accroche aux frissons inédits. Je veux profiter de ce calme, de cette immobilité, je souhaite m'installer dans la routine de mes maux, profitant des répits, du passage du temps, bien à l'abri dans ma loge, observant la tempête, les glaces, les canards, les pluies d'automne, appréciant mon café, le manger, l'histoire, les documents, la visite de mes amis, les bons mots, face à face avec mes propres textes, imaginant la vie, domestiquant mes peines et mes souffrances, émerveillé devant la répétition des nuits et des jours, dans les bras de ma blonde et puis elle dans les miens, ce qui est le sens du monde, reconnaissant et grognon, abandonné aux souvenirs de mes enfants et petits-enfants.

Tout ira bien, tout ira bien, voilà la première prière.

Celui qui va trop vite est impoli

Conversation avec ma vieille Honda

Nous sombrons dans la folie par petites étapes, sans trop nous en apercevoir. Le temps passe et, de routines en routines, les travaux s'additionnent au fil des jours. Chaque humain fait face à ses propres obsessions. Pour les uns, c'est la collection de quelques objets, pour d'autres la multiplication des voyages, des conquêtes ou des exploits sportifs, l'accumulation de cartes postales – et maintenant de *selfies* –, pour les autres encore, c'est l'hypnose du vide, c'est-à-dire la consommation des actualités telles que rapportées sur les multiples plateformes désormais luminescentes à longueur de journée, et ainsi de suite qui vous occupe les âmes et les cerveaux pendant le temps court d'une vie. On peut toujours fendre des bûches. Le délire s'installe lentement et nous n'en savons rien. L'un butine sur le web, l'autre calcule ses avoirs, ses placements et ses pensions, comme Séraphin caresse son or dans le haut côté de son éternelle maison de colon. Nous travaillons, nous travaillons, les univers se multiplient, les plombiers réparent les tuyaux des cabinets d'avocats, les chauffeurs accumulent les kilomètres, les professeurs font l'école, les badauds le trottoir. Les humains magasinent sur la Toile, ce sont des chercheurs d'aubaines et de bonnes affaires en ligne, nous avons tous notre petit commerce. Or, nous croulons sous les distractions, les divertissements, les jeux et les parades. Comme disait à peu près Quintus Septimius Florens Tertullianus, dit Tertullien : « Entre naissance et mort, il faut bien s'occuper. »

Ma folie à moi, c'est la recherche du temps perdu. L'effort tendu pour rattraper des bouts d'existences éparpillées dans l'infini de l'oubli me prend toute mon énergie. Je cherche, recherche, lis et relis des passages de vieux livres et des bribes de textes anciens, je regarde des photographies prises il y a cent ans, mon regard s'éternise sur des instants arrêtés, pris sur le vif par un appareil doté du pouvoir d'emprisonner en une seule image tous les détails, toutes les subtilités d'un moment fuyant. Et ce moment est rendu si loin dans l'espace-temps que cette photo devient un rayonnement qui semble provenir d'un point distant de plus de cent années-lumière, un retour magique dans le passé. Il suffit d'un mot, d'un nom de lieu ou de famille pour me plonger dans des états inavouables de plaisir et de curiosité. Il suffit que j'aperçoive un arbre pour lui envier sa majesté. Je vois une grange, je me mets dans la peau de cette grange, je deviens bois de grange, sec et gris, je suis le mur de la grange, je revis ses longues soirées d'automne, les nuits glaciales, les canicules, les orages, les amoureux qui viennent s'embrasser à l'abri des regards ; je connais des fourmis et des framboisiers sauvages, des chars scrapés, oubliés dans la broussaille, un vieux tracteur rouillé, des nuages, beaucoup de nuages, des trains de vent, des bancs de neige. Ce derrière de grange est le lieu fascinant de tous les amours naissants, le mur fragile au pied duquel on a pris la main de l'autre, l'endroit où l'on s'est parfois réfugié, pour pleurer, pour fumer, pour rêver, l'endroit où peut-être on s'est caché, pour rien.

Les témoignages du temps s'accumulent partout, dans l'écorce d'un arbre vieux, un poteau usé, un bloc erratique, yme. Il est bon de ressentir la couche d'espace et au nez d'un gros camion qui fait depuis vingt ans le trajet Montréal-Vancouver. Il est bon de fixer son attention sur un objet afin d'aller au-delà de sa simple présence dans le décor. Que racontent sa forme, sa texture, son usure, sa durée, quel est son langage indéchiffré qui témoigne du temps ? Songez aux paysages, aux silhouettes des arbres solitaires, songez à l'architecture universelle du monde naturel et du monde culturel. Songez à toutes ces existences, ces résiliences, à tout ce qui est, à tout ce qui a été.

Devenu vieux, mon père passait ses journées d'été à ne rien faire d'autre que plonger son regard et son esprit dans cet élément profondément fascinant qu'est l'eau en mouvement. Habitant en bordure du fleuve, il regardait l'eau filer, assis de longues heures sans rien dire. Il eût été bien inutile de lui demander ce qu'il contemplait ainsi, et quel message, quelle révélation lui apportait l'eau – car comment communiquer avec des mots ce que le courant vous a livré comme secret ? Il suffisait de voir la tranquillité de ses yeux, le calme de son sourire pour comprendre que l'eau lui faisait du bien.

Lorsque je vois, dans les archives du musée Glenbow de l'Alberta, une photographie du mariage d'Edmond Brascoupé et d'Emma Macaroni, je ne peux plus rester en place. Qui sont ces gens, pourquoi s'appellent-ils ainsi ? Sarah Petit Couteau épouse un Duchesneau, au grand lac La Biche. Elzéar Laboucane est l'ami de François La Bouteille, lui-même cousin des Bourque du lac Athabasca. Et tant de Dénés du grand lac des Esclaves s'appellent Beaulieu, Cochon et Bonnetrouge. Je ne dis rien des LaFournaise. Me voilà plongé dans les généalogies métisses du grand Nord-Ouest canadien, un univers obsédant, prolongement des mondes de la Prairie du Cheval Blanc, de Batoche et de la Qu'Appelle. Cette affaire mérite d'être éclaircie, me dis-je, cette histoire doit être dite.

Si je roule sur l'Interstate 41 au nord de Milwaukee, en

direction de Fond du Lac et de la Butte des Morts, je sursaute et m'interroge. Comment ces noms français ont-ils abouti au Wisconsin ? Tous les camionneurs québécois s'interrogent en passant par là. Il faudrait un grand livre. Les chapitres de cet ouvrage savant porteraient des titres comme : « Augustin Grignon chez les Folles Avoines » ; « Charles Langlade, le père métis du Wisconsin » ; « Beaubien et les Potaouatomies » ; « Salomon Juneau, le fondateur de Milouakie » ; « Voyage à partir d'Eau Claire au Wisconsin jusqu'au lac Mille Lacs au Minnesota, en passant par Faribault ».

* * *

Pour changer de manteau, de peau ou de maison, il ne faut pas attacher d'importance à ce que l'on remplace. Voilà bien le premier commandement du consommateur avisé : toujours, tu dévalueras l'ancien, le dépassé et l'obsolète. Changer de décor, changer de cuisine, changer de voiture, il faut que ça sente le neuf. Il n'est personne de plus délinquant que celui qui n'achète pas à tout bout de champ ; il n'est rien de plus révolutionnaire que de tenir à ses affaires, à ses cicatrices, ses plis, ses rides, et à son manteau usé. Ma vieille Honda est une voiture de légende, pour moi comme pour les gens qui suivent mes péripéties. Elle approche les 500 000 kilomètres, son moteur à essence est d'origine. Elle porte toutes les marques des distances et des saisons, elle affiche les signes et les grafignes de tant et tant de voyagements. Noire, je la vois tel un astéroïde perdu dans le vide sidéral. Au cœur de cette machine, je me souviens du froid et de la solitude, des chemins de poudreuse, des vents latéraux, alors que je lui parlais, littéralement, pour l'encourager, pour me rassurer. Elle a été de toutes mes conférences. Elle se souvient de Natashquan, elle se souvient de Kapuskasing, je la revois sur la route enneigée de Chibougamau et de Nemiscau, et dans les bouchons de Montréal, et dans le zéro absolu d'un matin de janvier à Manouane ; elle a été à Rimouski, à Paspébiac, à Caraquet, dans la gadoue et sur la glace. Ce n'est plus une voiture, c'est une voûte à idées, le coffre aux trésors de toute mon imagination.

Voilà bien le problème de l'attachement et de la valeur. Les âmes mortes collent aux lieux qu'elles ont habités et fréquentés, les âmes mortes ne sont pas légères. Lorsqu'on sait cela, les ennuis commencent. On ne voit plus les choses de la même manière. Le vieux piano de famille se souvient de tous les petits doigts gommés, de tous les visages recueillis qui se sont penchés sur son clavier. Je sais bien que les vieux pianos ne valent plus rien et qu'ils se donnent sur Internet. Ce trafic leur fait beaucoup de peine.

Le courage du camion

Les paupières lourdes de mon camion clignent dans la noirceur. Un appel de phares pour briser la monotonie. Du bout de son long museau, la bête de somme aura tout vu : du gravier, de la glace, de la neige sur l'asphalte, des kilomètres de fossés et des pans infinis de ciel. Le moteur renâcle, renifle, les pistons grognent, la machine hurle, elle s'arrache puis elle siffle. Ce corps de force dépense une chaleur aussi filante qu'enveloppante, une chaleur qui tourne et tourne. Mon camion a un visage enneigé, avec sa tête de métal pointée vers l'ouest de la gloire, vers le nord de l'humilité. Beau *truck* résigné tirant sa charge, son chargement, beau de tout cet orgueil qu'il charrie, il soulève de la poudreuse, il tempête la longueur d'une remorque, et la neige retombe entre loups et coyotes. Mon camion a les yeux d'un hibou et le front d'un ours, c'est un ours qui fume, sa pipe est en fer. Ses pantoufles en robbeur sont d'un noir propre et tranchant, elles roulent sur du blanc. Mon camion ronfle de son ronflement sourd. Le souffle gelé de son cœur chaud monte vers la lune en une colonne de fumée blanche, la fumée de l'offrande. Quatre cents chevaux-vapeur respirent et halètent. Le diesel tictaque en battant la mesure, pendant que le derrière et le dessous de la remorque s'englacent.

Ils ont charrié des maisons, ils ont halé des charges qui décrivent dans le détail l'ampleur de nos travaux et transports. Ils ont charrié du ciment en poudre, du carburant pour le chauffage, du carburant pour les avions, du diesel à camion, de l'essence à *pick-up*, des matériaux de construction, du bois, des deux-par-quatre, des panneaux de copeaux, du métal, des poutres d'acier, des tuyaux ; ils ont charrié les viandes, les fruits, les légumes, des épiceries complètes et de la dynamite ; ils ont aussi charrié les turbines, les immenses turbines ; mais encore, ils transportaient les vis et les clous, les pièces et les morceaux ; ils ont charrié de la machinerie lourde, des machines légères, des outils. Ils ont voyagé sans relâche, de jour, de nuit et de brouillard. Les chauffeurs aussi ont les paupières lourdes, ils sont courageux comme les camions qu'ils chauffent. Ils poursuivent une étoile qu'ils n'atteindront jamais. Ils rêvent d'un paradis où les routes sont neuves et sans fin, sans bosses et sans côtes maudites, ils rêvent d'un voyage chromé, sans peur et sans fatigue, avec à l'arrivée un monde qui applaudit : il est sain et sauf, il est à l'heure, avec un beau voyage à montrer. Les camionneurs rêvent d'être attendus, ils rêvent que quelqu'un, quelque part, ce visage sur la photo dans la cabine, se soucie de savoir si la route leur a été favorable. Ce n'est pas demain que s'arrêtera le tournoi. Les routes du Nord sont les sagas des chauffeurs de grande route. Ce sont les sagas oubliées des camions sales, de la boue sur le nez, des glaçons aux portes et des exploits ignorés.

Je me souviens de Magella, le roi du Nord, un homme qui parlait plus fort que son Freightliner, question de le dompter. C'était un homme exceptionnel qui racontait avec un grand talent des histoires sans queue ni tête. Il se vantait d'être camionneur depuis l'âge de douze ans, alors qu'il sortait des voyages de pitounes d'en haut de Sainte-Anne-des-Monts pour les apporter aux goélettes sur les quais « avec un petit *truck* Ford à gaz ». Depuis lors, comme il disait, il n'était plus jamais descendu de ses camions. À la Baie-James, où je l'ai connu dans les années 1975, il a bien dû monter mille remorques à Chisasibi. C'était au temps des constructions, des ouvertures de routes, au temps des ponts de glace, des pistes d'hiver, descendant en surcharge la pente de la Rupert, remontant en surcharge la côte de l'Eastmain, puis poussant vers l'impossible Caniapiscau. Une fois passé Radisson, il avait une chance sur deux de rester pris au cœur de la taïga, la cabine du camion devenant sa cellule de survie, en attente au milieu de nulle part. Il lui est arrivé tant d'histoires, il les racontait tellement bien. Aurons-nous un jour la mémoire respectueuse de ces nomades résolus ?

Dans ma propre vie, j'ai fait cent fois le trajet entre Matagami et le Nord, aller-retour, et finalement je n'en suis jamais revenu. La route est longue, mais sa longueur n'est pas le premier sujet du routier. J'ai connu des chauffeurs qui connaissaient la voie et les leçons du Nord. Ils parlaient de leurs camions comme si c'étaient des personnes. Ils en parlaient comme s'ils étaient eux-mêmes des camions. Les Magella de ce monde ont battu la mesure des anciens nomades qui faisaient des portages. Même mentalité, même vision du monde, même résolution. Le vrai routier sait qu'il ne pourra jamais battre la distance et le temps. Il ne pourra jamais faire abstraction de ces charges et de ces transports. Charrier, c'est respirer. Et le moteur bat la mesure du cœur. Nous bouclerons la boucle autant de fois que cela sera nécessaire, nous ferons tous les voyages, sans manquer un kilomètre. En attendant, le paysage nous envahit et la route devient le milieu de la vie.

Épinette noire givrée dans l'attente, vois cette bête qui gronde, essoufflée. Regarde ce navire immobile, ce vaisseau qui dort, une heure, dans le silence froid de la terre éternelle. Épinette noire aux aiguilles figées, épinette raide, pétrifiée, épinette du lac Cosmos dans la forêt sidérale, regarde mon camion apeuré qui ramasse sa force. Il est effrayé par la distance, mais il fonce dans le noir, il ne sait qu'avancer. Il a une roue barrée, une roue carrée de gel, il bat de la chaufferette, puis il y aura la pause, le sandwich, le café. Le diesel clique et claque comme un moulin fidèle, il tourne en rond avec le temps. Il passera le cap Éternité. Sous la Grande Ourse de lumière, il encense le théâtre boréal de la nuit où les fantômes attendent assis que la mort meure, elle aussi. Les paupières lourdes de mon camion charrient mon âme englacée. Mon camion danse dans ses chaînes rouillées. Il chante son effort, son arraché et son élan. Dans cet océan de travail, tout grince et tout force.

Nebraska

Le chauffeur de métier ressent la fatigue de la route, il finit par savoir combien celle-ci est épuisée. Il reconnaît la solitude d'un chemin abattu, la mélancolie d'une chaussée qui s'enfonce dans les coins vagues des anciennes villes industrielles, tout comme il capte l'inquiétude d'une route sauvage se perdant dans l'infinie distance qui nous sépare du cœur du monde. Sur le boulevard du travail, deux sillons se sont creusés, de la largeur d'un pneu, de millions de pneus, on croirait revoir les roulières des anciens chemins de terre, la trace des roues de charrettes, le pas des charriots, la signature de la simple routine. Dans ces creux, la pluie forme des ruisseaux éphémères. Quand il neige, ces rigoles s'englacent, véritables pièges entraînant des dérapages et autant d'embardées. Alors le véhicule, prisonnier de ces petits fossés, combat pour retrouver sa direction, comme un pauvre tramway grinçant, prisonnier de ses allers-retours.

Il n'est rien de plus drabe que l'asphalte vieilli, décoloré, l'asphalte craquelé d'une chaussée trouée de nids-de-poule, une grande rue large et longiligne qui traverse un paysage paléo-industriel. D'un côté, l'interminable mur de briques d'une compagnie, disons la Noranda Copper, façade ennuyante qui débouche sur les installations abandonnées d'une ancienne cimenterie. De l'autre, les pipelines et les réservoirs d'une raffinerie de pétrole, enchevêtrement de tuyaux et de conduits qui serpentent le long d'un vaste espace, jusqu'à l'immense carrière de calcaire gris, schistes des anciens fonds marins des mers ordoviciennes. Vous ne trouverez là ni maison, ni gîte, ni temple, ni parc, ni arbre et encore moins d'école. Il n'y a ici aucune âme qui vive, hormis celles des camions, des autobus et des automobiles qui sillonnent le quartier depuis presque cent ans. Ils le traversent surtout, ce quartier découragé, sans jamais s'arrêter, car on ne s'arrête pas sur la rue Sherbrooke, entre Broadway et George-V, à Montréal-Est.

Nous sommes à quelques kilomètres dans l'arrière-cour du cosmos, à trois degrés à l'est de la Voie lactée. On ne peut pas parler de la « chaîne de trottoir » puisqu'il n'y a là aucun trottoir. Il ne viendrait à l'idée de personne de marcher dans ce territoire désert. Les jambes ne servent à rien, les pneus font foi de tout. Il y a quand même une chaîne de quelque chose, un bourrelet de béton qui marque la fin de l'asphalte et le début de la mauvaise herbe : il s'agit d'un écosystème mystérieux, un corridor étroit entre la rue et la clôture en métal grillagé, un espace vert et absolument sauvage, royaume estival des fourmis, du chiendent, des pissenlits et d'un nombre inconnu de végétaux aussi rampants que résistants. Ici s'accumulent les déchets de la modernité, un casseau de patates frites, des taches noires d'huile à moteur, un morceau de métal provenant d'une pièce non identifiée, du verre brisé, de la poussière de béton, du caca de corneille.

Celui qui marche sur ce sentier verra le monde en son entier ; il fera le trajet sacré qui va du purgatoire jusqu'aux portes de l'enfer. Ce corridor sent la créosote, le caltor, le diesel, avec un soupçon de soufre. En hiver, la piste est recouverte d'une neige noire, celle qui résiste à la fonte du printemps, une neige sale qui emprisonne tout le froid et tout le gris du monde, une neige poussiéreuse qui capte la fatigue accumulée de tous les asphaltes usés des villes. Personne ne songerait alors à trotter entre la clôture de métal et la rue glacée, au beau milieu de ce grand nulle part, sous les nuages effilochés qui courent dans le ciel. Le camion, blanc de calcium séché, remorque sa grosse canisse remplie d'« huile à chauffage ». Il prend son élan pour sortir de la ville et emprunter la grand-route où se reniflent les effluves d'une certaine liberté. L'autobus, moins chanceux, passe et repasse en direction de ses terminus, points de départ de ses éternels retours, accumulant des cycles et des cycles dans la grande roue du vide sidéral.

J'entends le bruit des pneus qui sifflent, des machines qui fendent l'air, des moteurs qui grognent, reprenant leur souffle, une *gear* à la fois, j'entends ce chant de la route qui souffre et travaille et je sens sur mon visage le faux vent de l'auto-mobilité, celui-là qui vous décoiffe et qui sent le *fuel*, le caoutchouc et le métal chauffé. Là-bas, il y a quand même un restaurant où l'on vend des beignes et du café. Je ne sais pas pourquoi, mais au sortir de certains sentiers, les beignes sont toujours bons et le café divin. Il est des noirceurs si profondes que l'enseigne lumineuse la plus insignifiante devient un arc-en-ciel dans la nuit noire. Je me souviens d'un *diner* des années quarante, doublé d'un bar minable. C'est ouvert 24 heures par jour, 365 jours par année, depuis le temps de l'arche de Noé. Les serveuses y servent autant de toasts que de bières, la vie n'a rien à voir avec la joie. Yvon arrive de Cincinnati, il se dirige vers Chicoutimi pour mieux retourner à Détroit, cela fait trois semaines qu'il roule, sans trop descendre de son camion. Aujourd'hui, c'est la veille du jour de l'An. Yvon a roulé tout le temps des fêtes sur les grandes autoroutes grises qui relient un désert industriel à un autre, de la banlieue de Cleveland à la périphérie de Minneapolis. Il rêve comme les humains rêvent, il songe à la lune qui reluit sur le museau de son *truck*, à une route infinie, sans trous, sans côtes et sans cahots, à un pavé parfait, et au spectacle de sa vie.

Je viens de voir un film, *Nebraska.* Une âme confuse marche entre le boulevard du travail et la clôture en métal grillagé qui marque les limites des terrains des usines. Ned croit dur comme fer avoir gagné un million de dollars au *sweepstake* d'une revue populaire dont les bureaux se trouvent à Lincoln, au Nebraska. Puisqu'il n'a plus de permis de conduire pour cause d'alcoolisme, le vieil homme entreprend de s'y rendre à pied à partir de Billings, au Montana, une équipée d'environ mille kilomètres. Il marche mal, il n'ira pas bien loin ; l'homme ne fait pas le poids devant la froideur et la cruauté des paysages industriels qu'il traverse. Que de pas douloureux faits au nom de la Chimère ! Le fils de Ned lui vient en aide, il accompagne son vieux père jusqu'au bout de son illusion. Ensemble ils iront en voiture chercher ce gros lot qui n'existe pas. Le scénario du film met à nu ce sentier qui va de nulle part à nulle part, d'un bar obsolète à un restaurant anachronique, entre une bouteille de bière et un sandwich au jambon.

Ned ne rêve pas d'un vrai million de dollars – il est, pour un humain, des millions de façons d'estimer son gros lot. Il désire seulement pouvoir s'acheter un camion *pick-up* et un petit compresseur, en somme racheter certains morceaux de sa vie. Au retour de Lincoln, lorsque le fils comprend finalement ce que cherche son père, il déploie tout ce qui dort en lui d'ardeur et d' ingéniosité pour le lui procurer. Il faut voir l'œil du père et le sourire du fils quand Ned prend le volant de son nouveau *pick-up,* il faut voir le vieil homme conduire le kilomètre le plus orgueilleux de sa vie. Dans sa ville, dans sa rue, il parade devant tous ceux qui, depuis des années et des années, l'ont blessé, mal aimé, déprécié. Ce kilomètre n'a rien à voir avec le travail ou une quelconque obligation, c'est un kilomètre de pure rédemption. L'amour atteint des sommets lorsque, au beau milieu de nulle part, il bouche des trous et aplanit des crevasses, lorsqu'il répare et s'attaque au grand débosselage de l'âme.

La grande tortue sacrée de la rue Pie-IX

Parlons d'abord de la fierté des gens de l'est de Montréal. Ou de leur humiliation, ce qui revient au même. J'en parle d'autant plus à l'aise qu'il s'agit de mon quartier d'origine. Cette partie de l'île n'a jamais vraiment existé dans l'esprit de la bonne société. Dans mon temps, nous n'avions à peu près rien, nous étions toujours les derniers, l'autoroute ne se rendait pas jusqu'à nous, ni le métro, ni le train, ni même les travaux publics. Le monde à l'est de la rue Frontenac était un monde flou, zone résiduelle d'une carte urbaine qui réalisait systématiquement ses plus beaux projets dans l'ouest de la ville. À nous les dépotoirs à ciel ouvert, les industries les plus sales, le pétrole, les carrières, les rejets des égouts de la ville, à nous les écoles de réforme, les asiles de fous, à nous les autobus les plus vieux, les trajets les plus longs, les brouillards de l'oubli. L'est de Montréal, il y a cinquante ans, c'était le bout du monde, le restant du monde, là où la poussière retombait jour et nuit sur des paysages abandonnés de Dieu.

Aussi, en 1976, les Jeux olympiques de Montréal, qui se tinrent entre la rue Viau et la rue Pie-IX, furent-ils pour nous une grande affaire. Il en fallait, de l'audace, pour planifier la tenue d'un événement mondial au cœur d'un quartier aussi mal aimé. Le terminus de la ligne 4, en provenance de Westmount, se trouvait justement là, rue Sherbrooke, angle Pie-IX. Un terminus fort humain où nous attendions « le prochain autobus », devant le Château Dufresne qui trônait de l'autre côté du boulevard, manière de faire rêver le prolétaire et d'éblouir le petit peuple : à quoi pouvait bien servir une si belle maison ? Y avait-il des fantômes de riches qui l'habitaient encore ? Que faisait *chez nous,* dans l'Est, une demeure aussi opulente, comme on en trouvait sur la montagne ?

Lorsque, dans les années trente, les fondateurs du Jardin botanique, le frère Marie-Victorin et son comparse Jacques Rousseau, proposèrent le site actuel, la bonne société protesta. Pourquoi établir un pareil joyau aux marges de la ville, là où les petites gens piétinaient les fleurs ? Là, surtout, où les honnêtes citoyens n'auraient jamais l'idée d'aller faire un tour ? Qui donc viendrait s'encanailler dans ce quartier perdu ? Au-delà de la rue Pie-IX, vers l'est, commençaient les risques et les périls.

Pendant huit ans, tous les jours, deux fois par jour, je passais devant ce fameux Jardin botanique, mais aussi devant le site du futur Stade, à bord de l'autobus 185, qui parcourait la rue Sherbrooke entre le terminus Pie-IX et le terminus George-V, aux portes de Montréal-Est. La toponymie a de ces vices. Nous partions d'un pape pour nous rendre à un roi, dans l'humble autobus brun et beige du peuple ; il en fallait, de la soumission et de la foi.

Puis vinrent les Olympiques. Les travaux furent gigantesques, la construction spectaculaire, la facture aussi, dans tous les sens du terme. Il fallut couper les ormes du terre-plein central de la rue Sherbrooke. Ce fut un deuil, car ils étaient magnifiques. On se demande encore si cela était nécessaire. Et puis là, en bas de la pente, dans les champs, en face de la biscuiterie Viau, en face des grandes boulangeries, précisément là où nous allions parfois glisser en hiver, on construisit ce stade monumental qui était la pièce de résistance d'un ensemble plus vaste et tout aussi original. Nous fûmes estomaqués devant l'ampleur du projet. L'architecture du village olympique était audacieuse, finalement magnifique. Le Stade, quant à lui, retenait l'attention. Sa forme, sa masse, ses arcs de béton : on sentait, derrière cette structure inédite, l'âme d'un grand architecte en train de s'éclater. Nous n'avions jamais vu un si grand nombre de bétonnières, de camions et d'ouvriers au travail.

Le Stade olympique ne fut olympique que pendant deux semaines, comme tous les stades de ce type dans le monde. Ensuite, il est devenu un gros sujet de discussion. Personne n'a retenu sa beauté, sa magie, son potentiel symbolique extraordinaire. Le débat public s'en est plutôt allé dans une autre direction, la mauvaise foi l'a emporté sur tout. Le Stade coûtait trop cher, il était laid, sa simple finition représentait une dépense folle, un puits sans fond. On a râlé à propos du mât, on a bousillé le projet de son toit, sa construction avait occasionné de grandes magouilles, on s'était graissé la patte dans tous les domaines, il fallait refiler la facture aux fumeurs, il était inutile de compléter l'ouvrage et de respecter les plans originaux, et ainsi de suite jusqu'à divertir l'œuvre de sa vraie destinée : être un monument. Quand tu veux tuer ton chien, tu dis qu'il a la rage. Voilà bien ce qui est arrivé au Stade olympique. Il fut immédiatement frappé de désamour. Et jamais il n'a pu remonter la pente de cette campagne de dénigrement. En 2016, le Stade a quarante ans, ce furent quarante années de désaveu. On s'était donné le mot : répétons ensemble combien cette structure est laide et ridicule, combien elle représente la démesure financière d'un projet issu de la tête d'un mégalomane. Un échec monumental.

L'équipe de baseball de Montréal y a joué ses matchs. Les gens de l'ouest de la ville se sont mis à pester contre la distance qu'il leur fallait parcourir pour venir voir les Expos.

Moi, j'étais dans mon quartier et dans mes terres. J'allais au baseball avec mon fils. Nous aimions tellement le jeu, la visite des Pirates de Pittsburgh, des Cards de Saint-Louis et des Dodgers de Los Angeles ! C'étaient de belles soirées d'été, des soirées que je n'ai jamais oubliées, tout comme je n'ai jamais oublié la voix de monsieur Doucet, le commentateur des matchs à la radio. Nous allions voir le spectacle de notre nord-américanité. Nous entendions les sons du beau temps, en ville. Chaque fois que mon fils et moi allions ensemble au Stade, j'étais renversé par la grandeur du monument, j'étais fier qu'il se trouve dans l'est de la ville. Les années ont passé, mon fils est parti, les Expos aussi, et le Stade désaffecté a sombré dans le désaveu collectif pour ne pas dire dans l'oubli. Son dossier d'éléphant blanc s'est alourdi.

« Location, location, location », disent les agents immobiliers. Si le Stade avait été construit au pied du mont Royal, à l'ouest de l'avenue du Parc, il aurait été un lieu de culte, un sujet de fierté, un repère légendaire pour une ville qui s'en serait vantée. On l'aurait mieux adapté au baseball, on l'aurait bichonné, on s'en serait occupé comme on s'occupe d'une grande affaire. Mais non, le Stade était dans l'Est, il était là où l'on ne se vante de rien. Il fut notre tour Eiffel, critiqué comme la tour Eiffel – cette « tour vertigineusement ridicule », cette « cheminée d'usine », ce « suppositoire criblé de trous » – car personne n'a jamais voulu voir le monumental dans le monument. Personne n'a vu le sacré dans la forme. Avec son mât, le stade a l'allure d'un immense vaisseau spatial, un vrai vaisseau d'or, mais immobile, en béton, l'or des temps modernes. Le stade donne le goût de s'élever, il aurait dû s'appeler La Grande Tortue céleste, stadium de l'Univers. Il a reçu le pape, des équipes de football, des équipes de baseball, il a vu des superspectacles. Il a fait l'étonnement de tous les touristes, des étrangers venus de loin qui l'ont trouvé magnifique. Mais cet enthousiasme n'aura jamais réussi à nous émouvoir, nous qui l'avons condamné à végéter aux marges des arts et de la culture.

Denys Arcand, dans son film *L'Âge des ténèbres*, y a logé le siège soviétique du gouvernement du Québec. Ses images font ressortir la froideur bétonnière, métallique, vicieusement aseptique du Stade, un lieu devenu la métaphore même de la déshumanisation bureaucratique : des âmes mortes déambulent devant des estrades vides, sur du gazon artificiel, s'engouffrent dans des corridors dont les planchers luisants représentent nos vides intérieurs. Il est vrai que l'abandon des lieux refroidit le spectacle. Le Stade est vide la plupart du temps. Or, il nous faudrait remplir ce vide, donner à cet édifice un sens lourd et enveloppant.

Je propose d'en faire un temple universel de toutes les facettes de la vie, multiplateforme, multimédia, et le reste de ces mots qui désignent maladroitement nos besoins d'expression modernes. Ce serait le temple de toutes les émotions, de toutes les mémoires et de tous les avenirs. Un stade pour les sans-abri, pour les Survenants, un stade pour les enfants, pour les débats publics, pour les cérémonies, pour les expositions de tout et de rien, un stade pour jouer, un stade pour nous recueillir, nous ressourcer, manifester, créer. Une grande fusée imaginaire, un mégamusée de l'histoire de l'ingéniosité humaine, de la première pointe de flèche paléoamérindienne trouvée à Lachine jusqu'à la toute dernière suprananoélectrode inventée sur Mars, bref, une exposition populaire, permanente, interactive, rétroactive, un capharnaüm joyeux et festif, le temple des temples.

Notre Stade, que nous n'appellerions plus « olympique », serait alors un monument national, une référence identitaire. Voici Montréal, vu de l'avion, le Montréal tant attendu, vu de loin et de haut, voici l'édifice sacré qui nous définit. Pourquoi ne pas alimenter la rumeur de miracles qui se seraient produits à l'intérieur de ses murs, pourquoi ne pas lui donner un esprit, des fantômes, lui associer une légende, un mythe fondateur et guérisseur ? Notre Stade serait vivant, rempli de rêves, un chef-d'œuvre resplendissant, peut-être même rentable… On viendrait de Chine et du Japon, du sultanat du Brunei et de partout en Asie pour voir le cœur de la Grande Tortue, symbole asiatique s'il en est un, représentation de la courbure de l'Univers, de la vibration sidérale, haut lieu de fusion des particules élémentaires de nos *anima.*

Je suis de ceux qui aiment le Stade. Nous formons une société discrète, une confrérie de « morons » anonymes qui aiment en secret ce monument. Nous ressentons son immense solitude et mesurons sa grosse peine. Mais nous sommes de bien petites gens pour ainsi cultiver notre sens primitif de l'émerveillement.

Celui qui va trop vite est impoli

Traîner de la patte ne fait pas que vous ralentir, cela donne aussi à penser. Avoir ou ne pas avoir le pas, voilà la question. Depuis quelques années, pour cause de vécu, je boite de plus en plus. Or, le fait d'être lent ne me ralentit aucunement, puisque déjà auparavant j'étais assez tranquille. J'ai mis des années à comprendre le sens des mesures et des cadences, et j'avoue ne pas avoir suivi le *beat* de ma génération. Mauvais danseur, j'ai souvent été de travers sur la piste. J'étais démodé au berceau, déjà. Imaginez le décalage avec le temps présent. Cependant, ne pas suivre la parade a son avantage : on voit mieux le défilé lorsqu'on n'est pas dedans.

Au royaume des idées, il est recommandé de réfléchir un peu. Penser vite n'est pas un atout quand il s'agit d'exprimer autre chose qu'un réflexe ou une opinion. En ces matières comme en bien d'autres, la vitesse de croisière l'emportera toujours sur la vitesse de pointe. La régularité de la première nous conduit à destination, l'euphorie de la deuxième non seulement nous met à risque, mais nous fait tourner en rond. Modérons nos transports, nos ardeurs, retenons nos attelages, nous ne pouvons rien à la chose, l'espace est d'autant plus vaste que la vitesse n'y existe pas, en tout cas pas vraiment. L'Univers est trop grand pour être seulement pressé. Il est un train des choses et ce train n'est pas un TGV.

L'accélération contemporaine découle de la croissance générale de tout. Plus gros, plus vite, plus que moins, et encore plus qu'avant, toujours battre le chiffre, voilà le hoquet indiscutable du monde actuel. Nous valorisons la rapidité comme nous avons vénéré les dieux, comme nous adorons l'éternelle jeunesse, comme nous prions le temps de ne plus faire obstacle à notre volonté. Tout doit répondre en une fraction de seconde à notre commande de téléréalité universelle. Ce passage incessant à des vitesses inédites nous conforte dans l'idée simpliste que plus nous allons vite, plus nous sommes civilisés. Or rien n'est moins sûr. Nous sommes devenus accros aux contenants, mais très rébarbatifs aux contenus. Nous, les adorateurs du veau d'or de nos puissantes technologies, nous surfons à la surface des choses, sans rien savoir de la véritable nature de la vague.

La fameuse proposition « *time is money* » n'a jamais été démontrée et je crois même qu'il s'agit d'une bêtise sans nom. Toutefois, les temps modernes sont tissés de ces lieux communs qui deviennent des proverbes agressants sortis tout droit des manuels de pop philosophie. Personne ne songerait à mettre en doute les fondements de ces phrases faciles. Le temps, ce n'est surtout pas de l'argent. Le temps, c'est de l'espace, et l'espace nous dépasse immensément. Oubliez les piastres, les écus, les dollars et les euros : on ne les emportera pas au paradis.

Jeune, déjà, la vitesse m'exaspérait, je lui soupçonnais une faille, un piège, une entourloupe. Elle ne m'a jamais grisé, encore moins fasciné. En mon cœur et cerveau, je préférais l'image du pilote de bombardier méditant sur son manche à balai à celle du pilote de chasseur à réaction jouant du pouce sur ses commandes vidéo. L'un voit le ciel, l'autre ne voit que des écrans. *Top Gun* n'est pas mon film préféré, tandis que je relirais volontiers *Vol de nuit* de Saint-

Exupéry. Tenons-nous loin du fameux bang de la vitesse supersonique, cette bête secousse, l'étourdissement de l'étourdi ; éloignons-nous de tout ce qui oblige à revêtir un uniforme spécial, le casque, la combinaison extrême du pilote de jet ou de course. Et que dire de la casquette renversée du jeune fou au volant de sa petite Honda hurlante ? Là-dessus, rien de nouveau. On se plaignait déjà à Rome, sous le règne de Claude, des comportements dangereux des jeunes Romains qui conduisaient leur char à trop vive allure sur la Via Appia.

J'imagine qu'il faut choisir son bruit. Dans ma jeunesse, j'ai toujours préféré Radisson à Flash Gordon. Mais j'étais dépassé. Nous vivions déjà dans un monde de Ford Mercury, de Dodge Fury, de Corvette, de *mufflers* Hollywood et de moteurs *boostés.* C'était le temps des jets et des fusées, de la restauration rapide, des serveuses en jupette qui filaient en patins à roulettes pour servir des plateaux de frites et de hamburgers aux fenêtres des grosses voitures stationnées dans les *drive-in.* Manger vite, filer vite… J'ai donc été condamné à vivre une vie en porte-à-faux. Puisque mon bruit à moi était celui de l'intervalle, la longue durée a constamment retenu mon attention. Le pas du mulet, l'allure régulière de la raquette dans la neige, le souffle du fondeur, la rame de mon canot, autant de réalités qui me réconfortaient. Je préférais les heures longues, je rêvais au lointain et au chemin pour m'y rendre. Le grondement d'un moteur de camion, la durée et la durabilité, le bruit de l'eau qui contourne une pierre, l'interminable voyage de l'arbre à croissance lente, la fiabilité de la machine, l'imperceptible mouvement giratoire du ciel de nuit, voilà les images merveilleuses qui faisaient vibrer ma jeune âme. Finalement, je n'ai jamais eu le pas.

La rapidité est-elle vraiment une vertu, en tous lieux et circonstances ? Il y a certainement beaucoup de sagesse dans la lenteur, il y en a probablement moins dans l'accélération. La spirale de la crise de nerfs tourne autour d'un grand axe qui tourne d'autant plus vite qu'il vrille dans le vide. Il file, il file, le monde moderne, mais comment lui dire qu'il ne s'en va nulle part ? Un *show* de boucane, vous dirait mon ami camionneur.

Celui qui part trop vite laisse beaucoup de monde en plan.

Le départ en flèche offense et rabaisse le peloton qui, du meneur, ne voit que le croupion. C'est le syndrome de la F1. Il y a des limites de vitesse qui tiennent au savoir-vivre, à la volonté de vivre et au respect de la vie tout court. À l'inverse des pétarades et hurlements des moteurs de course, il est bon que le souffle s'étire, que le corps s'étale, que l'énergie se dépense à mesure. Car, à la fin, il faut l'admettre : celui qui va trop vite est impoli.

* * *

Dans le grand dessein du cosmos, la lumière est humiliée. Elle est condamnée à disparaître en raison de l'espace qui s'agrandit sans cesse. Un jour, tout sera trop loin de tout et les étoiles ne seront plus visibles les unes aux autres.

La grande vitesse de la lumière laisse apparemment à désirer. Elle a beau nous sidérer, elle perd de sa superbe lorsqu'elle se mesure à la grandeur de l'univers. Sa fulgurance s'efface devant ce chiffre : cent mille années-lumière pour simplement traverser la Voie lactée de bout en bout. À cette échelle, déjà, la lumière traîne de la patte, elle s'étire en longueur. Notre Soleil n'est rien qu'une étoile ordinaire, très ordinaire, une « naine jaune », une étoile parmi les 234 milliards d'étoiles de notre galaxie, qui n'est elle-même qu'une « spirale barrée » insignifiante parmi des milliards d'autres galaxies, dont plusieurs sont autrement spectaculaires. Dans cette affaire, il devient inutile de parler de la Terre, car la Terre est un grain, la Lune un brin de grain, et je ne dis rien de nos royaumes, fiefs et clôtures. Qu'est-ce que l'espace qui sépare un grain de sable de l'autre sur une plage nord-côtière de trente kilomètres de long ?

Il y a bien une limite de vitesse quelque part, un point au-delà duquel nous tombons dans l'absurde. Toute accélération rencontre son mur. Nous aurons beau réduire l'énoncé à 140 caractères, « texter » de nouveaux messages au moyen d'un code qui rogne sur la grammaire, simplifier la sémantique, multiplier les « j'aime » et mordre à tous les hameçons du fil de nos actualités électroniques ; nous pouvons bien nous injecter des drogues pour gagner des fractions de seconde dans nos performances sportives, grossir nos muscles, éveiller nos sens, nous programmer, nous entraîner, nous motiver, aller aux extrêmes de l'extrême, cela ne changera rien aux limites. Nous ne sommes jamais allés bien loin avec nos machines à pistons, nous ne changerons pas de monde avec nos moteurs à réaction ; il nous faudrait, pour quitter le système solaire et espérer rejoindre le corps céleste le plus proche, un nouveau mode de propulsion.

De même, nous ne pouvons pas aller plus loin que nos moteurs de recherche. Internet est une toile, en effet, un piège qui nous emprisonne. Le calcul rapide n'est pas une panacée. Il permet de grandes prouesses techniques, mais le résultat sera immanquablement le même. Il pourra peut-être nous révéler plus rapidement la date où la bulle de croissance éclatera, le moment où le point de non-retour sera atteint. Mais ce chiffre ne fera pas ralentir le navire. Le *Titanic* va poursuivre sa lancée jusqu'à l'impact fatal. La haute vitesse a un prix : sous apparence d'euphorie, elle tétanise le voyageur. Elle fait de nous des tyrans et des esclaves de l'efficacité instrumentale, elle réduit la capacité de penser, de dire et de réfléchir. « Ce mur, *je te le partage* et, ensemble, nous allons le frapper. »

Cette excitation générale consomme une énergie considérable : tout ce bruit, toutes ces courses, ces statistiques et ces chiffres, cela coûte. La Terre se réchauffe au terme de tant d'accélérations, de communications, de dépassements, d'explosions et de tensions, de réunions et de mouvements. La Terre se réchauffe parce que l'Histoire est trop chaude. L'avion décolle, l'avion atterrit, les trains passent et repassent qui charrient du pétrole, les bateaux transportent six étages de conteneurs, les pétroliers font un kilomètre de long, la Terre est illuminée artificiellement à longueur de journée. Usure des pneus, des manettes, des cerveaux, la pression monte, les transmissions électroniques sont fragiles, tout ne tient qu'à un fil. Et ce fil n'est jamais le fil d'arrivée. Plus moyen d'aller dormir, de respirer par le nez, il faut aller encore plus vite, croître d'une autre coche, augmenter sans cesse son activité pour ne pas avoir l'impression de régresser.

Sur la route, lorsque je suis une voiture qui roule trop lentement, je m'impatiente et il arrive que, dans ma tête, je traite le conducteur de tous les noms. Si mon ordinateur n'arrive pas à se connecter au serveur Internet dans la seconde, je panique et je rage. Nous sommes tous emportés dans ce fol élan. La patience est un art à jamais perdu, nous ne souffrons plus les temps morts. Nous allons jusqu'à meubler nos vacances d'activités récréatives épuisantes, si épuisantes que nous sommes heureux de revenir au travail pour nous reconnecter tranquillement à nos réseaux et retrouver notre bulle dans la sainte paix.

Vus de loin, disons de Sirius, nous serions tels des escargots malades de vitesse, des esprits troublés qui passent leur temps à se féliciter de leurs records en croyant dur comme fer à la valeur de leurs accélérations dérisoires. L'intelligence est pleine de ces folies diverses : l'illusion de tourner plus vite que le temps colore drôlement notre destin. À force de mener ce train d'enfer, nous arrivons à l'impolitesse suprême : ignorer la beauté du monde dans lequel s'inscrit notre course folle.

La fatigue de l'avion

Nous vivons dans un monde où les avions travaillent très fort. Ils transportent d'un continent à l'autre des milliards de gens ; ils volent sans répit, défiant le jour, défiant la nuit, brouillant les cartes de la distance et du temps, prisonniers des interminables corridors de la routine. Pense-t-on à ce qui se passe au-dessus de nos têtes, à cette autre réalité, fulgurante, incessante, qui a cours à quelques milliers de mètres seulement du plancher des vaches ? Le trafic aérien est un ballet continu où des virtuoses de la voltige s'exécutent avec une précision artistique ; les uns décollent, les autres atterrissent, des appareils s'approchent, d'autres s'éloignent, longues descentes, lourdes montées, tout cela dans l'espace aérien qui est un vide rempli de pleins. Les départs s'entremêlent aux arrivées, multipliant les calculs, les mouvements, les opérations. Le nombre des avions augmente sans cesse, celui des vols aussi – on parle de 80 000 vols par jour, aussi bien dire une banalité.

Il y a parmi les avions une hiérarchie sociale. Les plus gros se situent au sommet de l'échelle, ils trônent sur les pistes. Le vol international se distingue du simple vol domestique : le Boeing 777 en partance pour Shanghai passe lentement, tête haute, devant le petit Dash 8 qui arrive de Val-d'Or et s'apprête, dans l'indifférence, à y retourner. L'avion fait le beau quand il s'envole pour une destination merveilleuse, Rio, Casablanca, Amsterdam. Souvenons-nous du Concorde, de sa façon de se poser. Pensons aux géants, les 747 et les Airbus, qui traversent les océans la nuit, héros du long cours qu'on voit apparaître dans les petits matins de brume à Roissy, en provenance de tous les coins du monde.

Les avions nous donnent l'illusion de parcourir la planète, mais en réalité, ils font des allers-retours, ils tournent en rond autour du principe de l'éternel recommencement. Des appareils font le trajet entre Regina et Thunder Bay pendant toute leur vie. Ils finissent par ressembler à leur circuit, ils ont parfois la queue un peu sale, ils semblent porter les couleurs de leur fatigue en même temps que tout le poids des jours ordinaires. La « *run* de lait » des petites places perdues, il faut bien qu'un avion la fasse. Cependant, le bonheur est dans les moindres choses. J'ai connu des avions heureux, des Beaver et des Otter, des avions de brousse amoureux des grands espaces sauvages, amateurs de basses altitudes, sachant apprécier l'eau fraîche des lacs perdus, de vieux avions qui frôlent la tête des épinettes au décollage, qui se posent sur l'eau, qui glissent sur la neige, qui gardent toujours contact avec les animaux au sol. Ce sont d'ailleurs des bêtes de légende, c'est l'âme motorisée des territoires tranquilles, le bruit familier de celui-là qui vient te cueillir ou te déposer en un lieu inaccessible, qui transporte des vivres, des outils, c'est le rassurant et le travaillant qui va et vient, dans le ciel du Nord.

Les avions sont souvent beaux. Certains ressemblent à de grosses baleines, d'autres à des oiseaux migrateurs, à de beaux grands oiseaux planeurs, d'autres encore, plus modestes, ont franchement l'allure de maringouins, quand ils n'ont pas carrément la silhouette d'un stylo. Je ne dis rien de leurs couleurs, parfois magnifiques, parfois ridicules, de leurs gueules de bêtes de race ou de bêtes de somme – percherons, mulets… –, de leurs nez ronds ou pointus, de leurs visages bien reconnaissables. Le profil de l'avion lui donne toute sa personnalité : résolu, brave, renfrogné, anguleux pour le courage, rond pour la sécurité. Il a ses courbes propres, son style et son dessin. Attaché à une liaison, prisonnier d'un horaire dur, esclave des destinations prescrites, l'avion commercial rêve de vacances, il s'imagine partir à l'aventure, vers nulle part, volant pour rien, selon ses goûts et ses désirs, juste pour la beauté du geste. Il se voit dans une belle couleur argentée, libéré des logos des compagnies aériennes, avion de légende, comme un DC-3 dans un film sur l'amour, les départs et la nostalgie.

Les avions n'ont de cesse de fendre l'air à plein visage. Les hautes altitudes sont froides, l'air y est rare, pur et cinglant, il ne s'y trouve rien pour rassurer les âmes frileuses. La vitesse est effrayante, nous restons toujours surpris lorsque l'aile frôle un nuage. Les grands avions de ligne fabriquent d'ailleurs des nuages rectilignes, ils dessinent des motifs dans le grand bleu du ciel, signatures éphémères de leurs passages, les traces de notre époque. Mais tout cela n'est rien, les avions apparaissent et disparaissent aussitôt. En bout de piste, il leur est impossible de laisser une trace solide de leur passage sur terre. Personne n'aime d'amour l'avion qu'il prend et les avions qui meurent ne vont jamais au ciel.

* * *

Comment s'étonner, alors, que le nouveau citoyen du monde voyage comme si de rien n'était ? L'aéroport fait partie de sa vie, il y déambule comme dans une gare quelconque, absorbé par ses petits écrans, un iPod sous les yeux, un cellulaire dans l'oreille, tout pour se divertir de la richesse des réalités subtiles qui l'entourent. Il n'y a plus rien de remarquable au fait de s'embarquer pour l'autre bout de la planète. Le passager est un client morose, il s'attend à ce que l'antipode soit plus facilement accessible que le village voisin. Une fois dans son siège, il s'isole, il se replie encore plus sur lui-même, avec ses écouteurs personnels, sa musique, son cinéma. Le Boeing n'a pas pris son envol qu'il est déjà parti, loin dans son univers intérieur. Il a fermé les volets, il s'est enfermé dans sa capsule égonumérique, absent pour la durée du voyage.

Nous évoluons dans la dimension de la facilité et de la félicité perpétuelle, dans une réalité qui ne souffre pas l'ombre d'une aspérité. Tout doit être lisse comme le corps parfait de l'avion. Peu importent les distances, chaque quidam, un parmi des millions d'individus pareils à lui, s'attend à être transporté à Tokyo ou à Sydney en l'espace de tant d'heures, sans escale ni encombre. Son voyage ne doit pas être perturbé par quoi que ce soit. Il exige efficacité et ponctualité, malgré la météo, les vents contraires, les turbulences, les voiliers d'outardes, les orages, les volcans en éruption, l'ennui du capitaine, les doutes du premier officier, la fatigue des agents de bord, le prix du kérosène, les températures extrêmes, la mécanique des moteurs, les dangers de la routine, les conflits armés au sol, la congestion aérienne et autres détails qui risqueraient de perturber le vol.

Une fois à destination, de nombreux passagers vont quitter leur siège sans avoir jamais jeté un coup d'œil par le hublot, sans se demander dans quel appareil ils ont volé, sans même avoir remarqué que des pilotes étaient aux commandes. Ce sont des passagers modèles dans un monde moderne. Pour ma part, je suis un mauvais client, j'ai une peur bleue de l'avion. Je le prends toujours avec beaucoup de misère psychologique. Aucune statistique relative à la sécurité ne saurait me réconforter. Ma peur est primitive, quasiment animale : je ne puis concevoir qu'une machine semblable tienne dans les airs, je ne comprends pas cette magie, je dirais même ce *miracle*. Oui, je me suis toujours demandé par quel miracle un appareil aussi lourd pouvait voler, suspendu par je ne sais quel principe, poussé par des moteurs démesurés, projeté à une pareille vitesse dans le vide, abandonné aux coups de vent comme un canot pris dans les vagues. Et je ne comprends pas pourquoi un objet aussi digne des plus grands émerveillements en est venu à représenter la banalité, la morosité, la fatigue générale d'un monde affairé, blasé, littéralement tétanisé par la petite vie des vols, des contrôles de sécurité, des douanes, des correspondances, des décalages horaires.

Jamais de toute ma vie je n'ai vaincu cette peur terrible des avions et mes nombreux voyages ont toujours eu un aspect misérable. Tandis que chacun se complaît aux commandes de son propre petit poste de contrôle, je suffoque, je me vois enfermé dans un tube dûment scellé, impuissant, je monte la garde, les sens à l'affût de la moindre irrégularité. Quand je ne suis pas suspendu à mon hublot – m'attirant les foudres de mes voisins de rangée dont les écrans se trouvent éclaboussés de lumière –, je passe littéralement chaque instant du vol les yeux rivés sur la petite animation où l'on peut voir se déplacer l'appareil, jouissant de chaque millimètre gagné sur la ligne du temps et de l'horreur.

* * *

Et qui dira que les voyages existent encore ? Nous n'allons plus nulle part, nous allons simplement en avion. Il n'y a plus rien à découvrir, encore moins à apprendre. Nous dormons entre deux points. Chaque pays reçoit son lot de touristes et les touristes descendent des avions machinalement. Le dépaysement est un forfait, la classe est une économie ; l'étranger s'est depuis longtemps maquillé, prêt à recevoir les visiteurs afin de correspondre à ses attentes. Nous avons mis en marché tous les visages, tous les paysages. Les humains connaissent les règles du jeu. Les destinations sont des légendes à consommer, des menteries plus ou moins habiles. L'exotisme est mort de sa belle mort.

Prenez la Thaïlande. Chacun s'y rend dans l'espoir de toucher aux rives extrêmes de l'éloignement culturel. Comme si le piège de la consommation ordinaire ne s'était pas refermé là comme partout ailleurs dans le monde. Or la Thaïlande, comme la Tasmanie, comme la Birmanie, est plus facile d'accès, plus clairement « marchandisée » que la petite ville de Le Pas, au nord du Manitoba.

Prenez New York. Voilà une maladie dans l'ordre de la démesure, une folie grégaire désespérante, une odeur de hot-dog, de *fuel* et de pipi sur laquelle tous s'entendent. Mais le nom de New York est magique. Tous les chemins y mènent, l'humain est ainsi fait qu'il passerait les portes de l'enfer si l'enfer était à photographier.

* * *

Il est difficile d'imaginer la vie d'André Bonheur. Son destin fut bien tragique puisqu'il se trouvait dans une des tours du World Trade Center, au matin du 11 septembre 2001. Gravé dans le marbre, son nom apparaît au mémorial des victimes de cette matinée malheureuse : André Bonheur Jr, un nom curieux au milieu de milliers d'autres.

Les avions sont des armes redoutables, lorsqu'on les retourne contre nous.

New York mud pie

Les villes ont du charisme comme les gens peuvent en avoir. Chacune accorde son violon, la symphonie de la rumeur atteint les rives de la légende, une ville devient un mythe et l'affaire est dans le sac à menteries. Les exemples pleuvent, mais je pense à New York. La Grosse Pomme est devenue si grosse que chacun la voit prodigieusement immense. Pourtant, cela reste une ville, une ville populeuse et difficile à vivre. Mais si une ville ne sera toujours qu'une ville, pourquoi celle-là est-elle New York devenue ?

Nul ne sait où cette ville commence, où elle finit, dans le New Jersey, dans le Maryland ? On dirait que cent millions d'habitants s'agglomèrent en un seul lieu, et bien des gens le croient. L'imaginaire a ses propres lois comptables. Car voilà bien de quoi il s'agit : nous parlons d'une image, rien que d'une image. C'est pourtant celle-là, l'image de New York, la marque de l'Amérique, le nom de la Liberté, qui a fait et fait encore se déplacer autant de gens, en immigrants ou en touristes, en rêveurs et en badauds, le sens commun absolument anesthésié, le sens du merveilleux parfaitement aiguisé, naïfs, époustouflés, prêts à tout supporter au nom magique de New York.

New York a porté plusieurs noms au cours de son histoire. C'est une baie sur la côte atlantique de l'Amérique du Nord, une baie que le navigateur florentin Giovanni da Verrazano sera le premier Européen à visiter. Il l'appellera Nouvelle-Angoulême. L'explorateur Verrazano remontait la côte est de l'Amérique septentrionale à bord de son navire baptisé *La Dauphine*, il faisait alors le trajet inconnu du cap de la Peur (Cape Fear) jusqu'au cap Hatteras et jusqu'à l'île du Cap-Breton (île de Baccaleos ou des Morues) pour le compte du roi de France. À l'époque, on l'appelait Jean Verrazan. C'était en 1524, dix ans avant le premier voyage de Jacques Cartier. Il se passera beaucoup de temps, soit quatre-vingt-cinq ans, avant qu'un autre capitaine de bateau européen ne revienne en Nouvelle-Angoulême. Henry Hudson, un Anglais naviguant sous les couleurs hollandaises, entre dans la baie en 1609 et remonte un fleuve vers le nord, poussant en amont jusqu'aux limites de la capacité de son bateau. Ce fleuve se nommera le fleuve Hudson, en l'honneur bien sûr de ce grand marin qui allait se perdre et mourir plus tard dans une autre baie, immense celle-là, une baie qui portera aussi son nom, la baie d'Hudson. Hudson Bay, Hudson River, voilà des noms lourds de sens dans l'histoire de l'Amérique du Nord. Un pont de New York, qui fut longtemps le pont suspendu le plus long du monde, le pont Verrazano, rappelle la mémoire de l'explorateur italien qui travaillait pour les Français. Comme Hudson, Verrazano périt de ses voyages, tué dans les Antilles par les Indiens caribes, ou par les Espagnols, ce qui revient au même quant au résultat.

Puisque Henry Hudson voyageait pour les Hollandais, ce sont eux qui réclamèrent cette baie des îles. Les Hollandais, à l'instar des Français, étaient intéressés par le commerce des fourrures, et ils furent aussi timides qu'eux dans leurs efforts de colonisation. Néanmoins, en 1623, quelques colons s'installèrent sur une des îles dans la baie. Cette île portait le nom algonquien de Manhatta et était habitée par la nation amérindienne des Leni Lenapes, connue sous l'ethnonyme de Delaware. D'autres nations amérindiennes algonquiennes occupaient la baie : les Péquots et les Mahicans. Ces Amérindiens initièrent les Hollandais à la culture du maïs et surtout à celle du tabac.

Les Indiens collaborèrent avec les colons, mais des questions se posaient et des tensions existaient à propos de la terre sur laquelle les Hollandais s'installaient à demeure. Dès 1626, afin de réduire ces tensions politiques, le gouverneur hollandais Pierre Minuit acheta littéralement l'île de Manhatta pour la somme de vingt-quatre dollars. Ainsi naquit le mythe moderne de la fondation de New York, l'achat de Manhattan pour une somme ridicule. Ce montant de vingt-quatre dollars est une conversion très aléatoire : on parlait plutôt alors de florins hollandais (guilders) et peu importe la somme payée, il faut surtout retenir l'obligation pour le Hollandais de transiger avec les Delawares et de faire un geste symbolique de bonne entente. Loin d'être une transaction économique, il s'agissait d'un traité solennel. Le site fut alors baptisé Nouvelle-Amsterdam.

Pierre Minuit, qui avait « acheté » Manhatta aux Leni Lenapes, tomba en disgrâce auprès des Hollandais et s'en fut travailler du côté des Suédois, pour lesquels il fit la même démarche qu'à Manhatta. Il allait fonder la Nouvelle-Suède au Delaware. Décidément, ce monsieur Minuit savait y faire en démarrage de colonies ! Il ne mourut pas paisiblement dans son lit, monsieur Peter Minuit. Comme la majorité de ses collègues aventuriers, il disparut en mer lors d'un de ses innombrables voyages dans le cruel Atlantique. Et son nom curieux, très curieux, d'origine française, convient au New York de la nuit, des lumières, dans la tourmente des affaires, dans cette spirale du plaisir. Il fallait bien s'appeler Minuit pour mettre au monde cette galaxie.

Pendant des années, la Nouvelle-Amsterdam demeura un petit village dans l'ombre du grand centre du commerce des fourrures, aux sources du fleuve Hudson, le lieu dit Fort Orange (Renssallaerwyck), qui deviendra la ville d'Albany, future capitale de l'État de New York. Les guerres hollando-anglaises se poursuivaient en Amérique du Nord. Les Anglais, à partir de Boston et de la Virginie, combattaient les Français en Acadie et à Québec depuis longtemps, mais ils combattaient aussi les Hollandais de Nouvelle-Amsterdam. En 1664, suivant les avis de Médard Chouart Des Groseilliers et de Pierre-Esprit Radisson qui cherchaient à attirer les Bostonnais en baie d'Hudson, les Anglais s'attaquèrent aux Hollandais et l'emportèrent sur eux à la Nouvelle-Amsterdam. Le gouverneur Peter Stuyvesant, l'exportateur de tabac qui donnera son nom à une grande marque de cigarettes, livra la petite ville aux autorités britanniques et c'est un dénommé Richard Nicolls, le commandant des bateaux anglais, qui rebaptisa immédiatement le lieu New York, en l'honneur du duc d'York, futur roi d'Angleterre.

Elle était bien triste, cette habitude qui consistait à reproduire en terre américaine la toponymie aristocratique des vieux pays en ajoutant le préfixe *New* chaque fois : New Hampshire, New Brunswick, Nouvelle-Écosse, Nouvelle-France, Nouvelle-Angleterre et tutti quanti. Si bien que la réputation planétaire de New York occulte le fait que le nom de cette ville est assez ordinaire. Cependant, l'affaire constitue peut-être le plus bel exemple venant confirmer un fait étonnant : n'importe quel nom, fût-il le plus insipide, peut atteindre à la mytho-fiction pour peu qu'on oublie sa nature originelle.

La ville devenue anglaise fut reprise par les Hollandais en 1673, des Hollandais qui la rebaptisèrent New Orange. Pour une cité qui avait un avenir mythique et à laquelle on allait donner le surnom de Grosse Pomme, s'appeler Nouvelle-Orange n'était pas rien. Mais cette curiosité fruitée n'allait durer qu'une seule année : les Anglais reprenaient la ville en 1674 et allaient dès lors la renommer New York, une fois pour toutes.

Dans le mythe de la fondation de la ville de New York, dans la récitation presque paresseuse de son histoire, il est rarement question des génocides qui eurent lieu lors de sa naissance. Mais il s'agissait d'Indiens, et les Indiens ne font pas partie de l'histoire. Nul ne raconte que les tensions avec les nations amérindiennes étaient devenues explosives, à Boston, à New York et en Virginie. Dès 1635, les Anglais se chamaillaient et se colletaient avec les Wampanoags et les Massachusetts, ceux-là mêmes qui avaient si bien reçu les Pèlerins à Plymouth. Ce furent les tristes et furieuses guerres de Massasoit et de son fils Metacomet, qui confédérèrent les Algonquiens de la Nouvelle-Angleterre afin de s'opposer aux exactions des colons anglais qui leur volaient leurs terres.

Après plusieurs années des pires violences, les Algonquiens furent défaits ; des massacres comme ceux de la rivière Mystic près de Boston contribuèrent à confirmer la réputation des Anglais comme « exterminateurs des Indiens ». Ces guerres furent trop réelles et elles firent rage pendant plusieurs années ; elles enflammèrent la côte est, de Boston jusqu'au pays des Algonquiens powhatans (nation de la Chute) en Virginie. Dans cette opération de nettoyage ethnique, les Anglais reçurent l'aide des Iroquois, leurs seuls alliés amérindiens en Amérique du Nord. C'est ainsi que dans la baie de New York on procéda à l'extermination des Péquots, des Mahicans et des Delaware, aussi appelés Leni Lenapes. En 1670, il n'y avait plus d'Indiens vivant dans les alentours de New York, plusieurs milliers de personnes, hommes, femmes et enfants, ayant été massacrées en l'espace de quelques années. Les rares survivants prirent le chemin de l'exil, vers l'ouest.

New York se développa autour de ses activités portuaires. Pendant très longtemps, entre 1700 et 1800, elle laissa le haut du pavé à Boston et à Philadelphie, se contentant du rang de troisième ville des Colonies-Unies puis des États-Unis. D'ailleurs, la ville de New York ne joignit les États-Unis d'Amérique qu'en 1783, soit six ans après la Déclaration d'indépendance. C'est au XIXe siècle que New York connut son explosion en croissance, une explosion qui fit d'elle la plus grande ville des USA.

D'abord, New York fut le plus grand marché d'esclaves noirs dans les colonies du Nord, si bien qu'en 1800 une ville noire existait déjà à New York : il s'agit bien sûr de Harlem. Les nombreux Afro-Américains travaillaient pour rien, ils étaient maltraités et livrés aux pires sévices. La condition new-yorkaise des Noirs fut d'une grande cruauté et il s'agit là d'un chapitre méconnu de l'histoire américaine de l'esclavage, une sombre histoire que l'on attribue d'habitude au Sud et que l'on imagine mal au pays des Yankees. Par ailleurs, dans la première moitié du XIXe siècle, l'immigration anglaise, irlandaise, juive et allemande augmenta rapidement la population urbaine. La ville fut très tôt aux prises avec l'intolérance interethnique. En 1850, on faisait déjà la distinction entre les « vrais Américains de New York » et les immigrants qui n'arrêtaient pas d'arriver. Durant la guerre de Sécession, en 1863, il y eut de grandes émeutes raciales dans la ville, des émeutes qui firent plus de cent morts. Le scénario du film *Gangs of New York* est directement inspiré de ces faits historiques.

Le premier milliardaire américain de l'histoire vivait à New York : c'était un immigré allemand du nom de John Jacob Astor, originaire de Waldorf en Allemagne. Nous sommes vers 1810. Curieusement, monsieur Astor fit sa fortune dans le commerce des fourrures et des peaux de castor. Il était le président fondateur de l'American Fur

Company. Ses alliances commerciales étaient très développées avec la Northwest Company des Écossais de Montréal. Les deux villes, Montréal et New York, étaient étroitement liées dans les affaires, et notamment dans les affaires de la fourrure. La voie royale des communications et du commerce passait par la route du Richelieu, du lac Champlain, pour aboutir au fleuve Hudson. Les deux villes étaient liées par les banques aussi. La Banque de Montréal (1817) vint au monde dans la même foulée que la Banque de Manhattan, les deux ayant été fondées par les magnats de la fourrure et de l'immobilier. Gabriel Franchère rapportait en 1808 qu'une importante communauté canadienne-française vivait dans la ville de New York.

L'immigration explose et New York s'organise dans le désordre pour garder sa suprématie, alors constamment menacée par Chicago, qui se nourrit du développement extraordinaire du Midwest. Les New-Yorkais avaient depuis longtemps créé le NYSE, après des réunions célèbres tenues dans la rue du Mur, en 1796. Wall Street allait devenir Wall Street, et la ville tenait à garder le contrôle de la finance et la main sur la Bourse. La mise en service du canal Érié, reliant New York aux Grands Lacs, avait donné un grand essor à la ville qui exerçait désormais son influence économique loin vers l'intérieur des terres, concurrençant toujours plus sa rivale Chicago.

Manhattan brûla deux fois, dans ce genre de conflagration brutale propre aux temps anciens des villes. Avec l'apparition de l'acier et des poutres en H rivetées, on assista à la construction accélérée des célèbres gratte-ciels de New York, ainsi que des ponts. La ville devenait la référence même du Nouveau Monde, dans son architecture, dans son affairisme, dans son urbanisme. Elle occupait tous les champs, le commerce, la finance, l'industrie, la création, les activités portuaires, l'immobilier, tout. Chicago lui faisait une vive concurrence, Chicago l'affairée, la travaillante, qui se refaisait en neuf après le grand incendie, qui renaissait de ses cendres dans le cadre de l'exposition universelle de 1893 et qui soignait son architecture, bâtissant beau, et se lançant elle aussi dans l'idée de gratter le ciel.

Les Indiens revinrent à Manhattan pour travailler à la construction de ces grands symboles d'acier, ces Indiens fantômes dont on disait qu'ils n'avaient pas le vertige. Ce sont les Iroquois de Kahnawake-Montréal, et avec eux des Delawares, qui montèrent dans les hauteurs du ciel new-yorkais, travaillant à ces vastes chantiers interminables. Ils formèrent un petit ghetto iroquois dans Brooklyn. Ils étaient muets, plus que discrets, on dira taciturnes et secrets, à propos de souvenirs anciens et douloureux. Ils parcouraient sans cesse aller-retour la route ancestrale qui reliait Montréal à New York. Ils se faisaient photographier, désinvoltes, sur les poutres, trois cents mètres au-dessus du sol.

À la fin du siècle, New York se divisa en cinq *boroughs* qui deviendront célèbres : Bronx, Manhattan, Queens, Staten Island et Brooklyn. Les fusions municipales se succédèrent et la métropole se mégalopolisa ; sa population grossit dans une sorte d'anarchie multiethnique dont nul ne contrôlait vraiment les codes du vivre-ensemble. Des quartiers nouveaux virent le jour, chacun marquant fortement son identité culturelle. Les jours viendraient où il y aurait à New York plus d'Irlandais qu'à Dublin, plus de Juifs qu'à Tel-Aviv, plus d'Italiens qu'à Naples. La population du grand New York explosa à un point tel que la ville apparut comme le symbole de l'Amérique grouillante et démesurée.

Elle deviendra une image universelle dans bien des domaines, et notamment le symbole du *melting pot*, c'est-à-dire de la bouilloire où les cultures fondent et disparaissent pour se reconstituer en une sorte de soupe nouvelle où l'individu se métamorphose en un Américain dans le temps de le dire. Ellis Island, porte d'entrée depuis 1892, devint l'image de référence d'une Amérique en marche : cent vingt mille immigrants par année passèrent par les douanes de l'île, dans les dix premières années du XXe siècle. À l'ombre de la statue de la Liberté, tenant sa flamme pétrifiée depuis 1886 dans le chenal d'entrée du port, les images du « rêve américain » défilaient dans la tête de chacun qui passait, alors que le nouvel arrivant pleurait en entendant l'hymne national américain, le lendemain de son débarquement.

Le XXe siècle fut vraiment celui de New York, témoin lumineux de la montée en puissance de l'influence américaine dans le monde. La ville a connu toutes les vicissitudes, toutes les grandeurs aussi, évitant les guerres et les destructions, malgré sa notoriété qui aurait toujours pu en faire une cible. New York se construisit de gratte-ciel en gratte-ciel et en sites remarquables : le Madison Square Garden, le Carnegie Hall, le Rockefeller Center, Radio City, les grands musées. Elle a connu le jeudi noir de 1929 sonnant le glas des années folles. Malgré tout, durant la Crise, on érigea l'Empire State Building, autre symbole de l'ancienne ville. Elle a connu les plus grandes célébrations nationales et internationales, les parades de la victoire, les défilés des héros et des champions. Wall Street est devenue le synonyme de la finance mondiale, Broadway celui des spectacles et du théâtre, Fifth Avenue celui du magasinage, Central Park celui des parcs urbains, Times Square le nombril du monde, Madison Avenue la Mecque de la publicité, Greenwich Village le symbole de la bohème, SoHo celui des galeries d'art, le Metropolitan Opera celui de l'art lyrique, Harlem celui du jazz, tandis que le Upper East Side affichait les appartements les plus chers du monde.

New York illustre l'américaine américanité dans toute son originalité, avec ses Yankees, ses casquettes et son logo, sa désinvolture, ses hot-dogs, ses lumières, ses enseignes, ses taxis jaunes, ses policiers en bleu, avec leurs petits képis, avec ses fous, ses folles et son clinquant ; elle représente l'universelle créativité, avec toutes ses cultures, une galaxie artistique en fusion, un état second qui fait que le New Yorker est un New Yorker, ce qui est autre chose qu'un Américain. *I love New York,* point de salut hors de New York City ! La ville appartient à tout le monde, à qui sait la prendre. Et le monde entier s'y retrouve, en effet. Si tu triomphes à New York, tu réussiras partout, dit la chanson.

Oui, New York l'universelle. La ville désespérée qui connut les affres de la Grande Dépression, la ville du maire LaGuardia qui entreprit de sauver ses citoyens des plus grandes misères, inaugurant la construction massive de logements sociaux pour les familles dans le besoin. La venue de l'ONU, en 1951, ce simulacre de gouvernement mondial, contribua à dorer encore plus le blason de la ville. Mais en 1970, New York avait vieilli prématurément, il a fallu qu'elle renaisse. La municipalité était aux portes de la faillite en 1975, mais elle vit un autre maire, Rudolph Giuliani, s'attaquer à son déclin financier et matériel, ainsi qu'à la criminalité affolante qui pourrissait le climat de la ville. New York a quand même poursuivi ses rêves et ses symboles, construisant les tours du commerce mondial entre 1973 et 1977, deux tours jumelles, lisses, modernes à souhait, faisant l'orgueil de la cité d'entre les cités, des tours qui devinrent rapidement le symbole du visage du nouveau New York. Elles n'auront pas tenu longtemps dans le ciel de New York, les tours jumelles, seulement vingt-quatre ans, de 1977 à 2001.

Oui, l'Amérique, c'est l'Amérique, et il est clair que *God is an American.* Mais en réalité, *God is a New Yorker.* De par le monde, les villes riches et ambitieuses imitent New York, la vérité moderne est dans le gratte-ciel de verre, dans les rues affairées, dans le nombre d'habitants, dans l'image et la réputation mondiale, dans la course surréaliste à l'attraction ultime ; être comme à New York ou mourir d'ennui. C'est plus que la cité-État des temps anciens. Sur la planète, il est des cités-monde, et New York est maîtresse parmi celles-là.

Au degré zéro *(ground zero)* de cette légende urbaine, il y a le début de la mémoire, une commémoration ultime, qui est le mur de l'amnésie. Au sous-sol de cette animation lumineuse, dans les bras de mon alliée la noirceur et dans ceux de mon amie l'obscurité, dorment les âmes des sacrifiés. En tête du monument aux morts, la liste des victimes anonymes des ethnocides qui eurent lieu à la fondation de la ville, une liste oubliée certes, des Indiens, encore des Indiens, mais une liste au moins aussi importante que celle des victimes de l'attentat du 11 septembre 2001. Car l'histoire des humains est bel et bien une histoire sanglante et inavouable. Notre immense richesse se nourrit de notre immense pauvreté et il est normal de couvrir le crime de divertissements et d'étonnements face à une merveille où tout est permis. Oublions les perdants, les esclaves assassinés, les clochards et les pauvres de Harlem ou d'ailleurs, oublions l'horreur de cette géante qui bouffe de l'humain, retenons la fiction, l'argent, l'art, la *New York life,* le *New York look,* là où tout n'est que *fashion* et faussetés aussi diverses qu'étourdissantes, royaume des plus grands escrocs de la terre. Et pleurons ferme parce que les tours se sont effondrées.

Ce 11 septembre, ce furent de nouvelles larmes qui coulèrent sur nos joues, des larmes qui s'ajoutaient aux autres, par-dessus les décombres de très anciennes tragédies. La différence, ce matin-là, c'est que ceux et celles qui tombèrent des tours et s'évanouirent avec elles étaient des gens comme nous, pas des sauvages, pas des esclaves, pas des pauvres *losers,* pas des étrangers étranges et autres habitués de la mort. C'étaient des gens comme nous, qui possédaient des ordinateurs personnels et qui avaient des téléphones portables, qui aimaient John Lennon, qui aimaient Bob Dylan, des mangeurs de hot-dogs dans la rue qui suivaient les prestations des Yankees, qui avaient des maisons de campagne dans les Appalaches, des hommes en veston-cravate et des femmes en tailleur qui allaient à l'opéra, au théâtre et au cinéma, des gens de carrière, grande ou petite, des pompiers, dont les vies se sont brutalement et cruellement arrêtées, par un acte de Dieu, pas lui, mais l'autre.

Le carcajou nous a quittés pour Hollywood

Nous n'avons jamais cessé de rêver les animaux. Ils servent nos peurs les plus extrêmes comme nos besoins de consolation les plus insatiables. Entre King Kong et Bambi, il y a une éthologie virtuelle qui semble sans limite aucune. Un chien n'a jamais été un chien ; de Cerbère à Lassie, qu'il ait trois têtes ou une bonne bouille, c'est le pire et le meilleur de notre humanité que nous mettons en scène. Entre le cheval de trait et le cheval de Troie, il y a l'histoire du monde. Quelque part sur le mât du totémisme, plus que jamais nous pénétrons dans la mémoire des représentations symboliques. Le passage des animaux au bestiaire fabuleux des films et des bandes dessinées obéit à des lois étonnantes où le jeu consiste à couvrir le champ entre l'hyperméchanceté et l'hypertendresse. Le cinéma d'aujourd'hui recycle à grands frais d'effets spéciaux de très anciennes images, qui existent dans nos têtes depuis des lunes.

Ici, dans le livre de notre jungle nationale, le castor a longtemps officié comme personnage principal. Laborieux, ingénieux, il apparaît dans les armoiries de la ville de Montréal, dans celles de New York aussi, il a été le logo du Canadien Pacifique, on l'a sculpté dans la pierre au fronton de la Banque de Montréal, les quincailliers l'ont recruté comme bricoleur, bref, le castor canadien a occupé les champs de l'imaginaire, sans pour autant devenir un grand personnage de bande dessinée ou de film catastrophe. Cela n'existe pas, un supercastor nommé Beaverman, en lutte cosmique contre le Grand Lièvre de la Mort, quelque part dans le vide entre les deux constellations nommées d'après eux.

C'est un fait peu remarqué que, de toute la faune canadienne, c'est le carcajou qui a été retenu au panthéon des superhéros universels des *comics* et des films à grand budget. Le carcajou, sous son nom américain de Wolverine – un nom convoité aussi bien dans le monde du sport que dans celui du crime –, est devenu l'Indestructible au grand écran. Curieux paradoxe pour une espèce qui est justement en voie d'extinction. Il disparaît du territoire pour mieux se reproduire dans notre imagination.

Jadis, avant d'être le diable des trappeurs canadiens-français, le carcajou avait déjà toute une réputation. Sa légende est précolombienne. Il a fasciné des générations et des générations de chasseurs nomades algonquiens. C'est le *Kwekwatsew* des Innus. Il s'est prêté à des histoires fantastiques, à des dires et des ouï-dire, à des exploits, des légendes, des mythes. L'animal a des pouvoirs de force et de métamorphose, il est supérieurement intelligent, sanguinaire, effrayant. *Gulo gulo* – ainsi qu'on le désigne dans la nomenclature linéenne – est si glouton qu'on l'imagine en train de manger tout ce qu'il trouve sur sa route, de la bête en décomposition jusqu'au pot de confiture. C'est en effet un charognard, sa mâchoire puissante broie les os des grandes carcasses, il dévore le congelé, il avalera tout ce qu'il trouve. Son poil ne givre pas, sa fourrure est fort précieuse, mais comment le capturer ? Il est si difficile à apercevoir qu'on a parfois l'impression qu'il n'existe que dans nos têtes. Le carcajou fuit les mondanités, il est démesurément sauvage. Comme le caribou des bois, il déteste le bruit des moteurs, les routes de gravier, l'odeur du *fuel,* l'haleine de l'homme avide. Il vit à l'envers du monde, la nuit, l'hiver, dans les forêts boréales inconnues. On dit qu'il est fort comme un ours noir, courageux comme un loup en chasse, intelligent comme un corbeau, solitaire comme un vieux lynx, obstiné comme un chien du Nord, soyeux comme une mouffette, puant comme une belette.

Avec autant de qualités imaginaires et de dons aussi intrigants que magiques, le carcajou était un bon candidat pour notre nouveau bestiaire cinématographique. Il a passé l'examen, il a fait son entrée dans les castings, il est devenu un personnage : le Wolverine. Avec le loup-garou, le loup, la chauve-souris et le vampire, toutes des bêtes assoiffées de sang, il a pris sa place dans la grande aventure, autant que le requin Jaws, autant que le gorille King Kong. Il s'en est allé refaire sa légende à Hollywood, en passant d'abord par les *comics* Marvel, où il est devenu un des X-Men. Dans ces bandes dessinées, le héros est bel et bien une forme humaine du carcajou, le résultat d'une mutation. On dira de lui qu'il est d'origine canadienne (certainement canadienne-anglaise). Ses premières aventures se situent d'ailleurs dans le Grand Nord, où il va combattre Hulk et le dangereux Windigo. Ce dernier étonne, car il s'agit aussi d'un personnage légendaire algonquien dont la force est inouïe, une sorte de cannibale, peut-être le *sasquatch* des Anishinabes, un géant qui hante les forêts laurentiennes et boréales, à la recherche d'humains à dévorer.

Saluons le Carcajou, devenu une vedette de film. Il a des griffes rétractables en métal, sa coiffure laisse poindre des cornes lucifériennes en poil. C'est une machine à tuer. Loin des Mickey Mouse et Bugs Bunny de ce monde, il évolue dans l'arène sombre et violente des superhéros modernes. Le Wolverine rejoint Batman, l'homme-chauve-souris, et Spiderman, l'homme-araignée, dans la galerie des héros malheureux. Car, derrière son armure d'adamantium, le métal le plus dur de l'univers, notre supercarcajou a un cœur. C'est l'Immortel qui traîne sa peine, une puissance monstrueuse et attachante perdue dans l'univers glauque de la méchanceté absolue.

Je le disais, nous rêvons depuis toujours les animaux. Le cochon est devenu un cochon en traversant les imaginaires humains : dans le jardin de nos idées, il nous fallait un cochon, c'est sur ce brillant porcidé que la cochonnerie autant que la cochonnaille sont tombées. Et l'animal, s'il pouvait parler, nous dirait qu'il n'est pas si cochon que cela. En jouant avec les comportements, les mœurs, les traits d'espèces, nous avons donné libre cours à nos fabulations : il est des requins blancs qui mangent des goélettes, comme Moby Dick coulait des barques, comme le poulpe de Jules Verne tentait d'avaler le *Nautilus.*

En vérité, l'ère moderne prolonge l'ancienne ; nous sommes encore et toujours à ériger le totem de tous les temps, les fables de tous les lieux. L'Égypte pharaonique avait déifié le chat. Les Romains ont placé un chien aux portes des Enfers, il ont adoré une louve à la fondation de Rome, les Britanniques honorent le lion, lequel a détrôné l'ours brun dans le panthéon européen des animaux. Dans les cultures amérindiennes du nord-ouest de l'Amérique, on retrouve le corbeau, l'orque épaulard, l'aigle à tête blanche. L'humain des villes contemporaines est capable de tout, d'installer deux lions couchés à l'entrée de sa maison, de planter des flamants roses en plastique sur ses pelouses. N'a-t-il pas sculpté des gargouilles aux murs des cathédrales ? Revoilà le bestiaire original, l'inventaire illustré des géants, des dragons, des monstres aériens, marins, terrestres : il y a ici de puissantes ailes, des griffes, des cornes, des dents pointues, des yeux rouges, du feu, les attributs infernaux des démons.

Maintenant, posons-nous la question : que deviennent

les animaux sur Internet et dans Facebook ? Que serait YouTube sans les chats ? Les animaux n'ont plus aucun secret depuis que tant de iPhones sont tournés vers eux, dans les univers domestiques comme dans les grands espaces sauvages. Désormais, toutes les combinaisons, toutes les transgressions sont mises au jour, sinon mises en scène. Voici le chien qui joue avec le faon, le chat qui allaite un lapin, l'orang-outang qui donne le biberon à un bébé tigre, l'hippopotame qui sauve le gnou de la noyade, la vache qui aime l'accordéon, le lion qui embrasse une belle fille, l'orignal qui se fait caresser par la voisine d'à côté… On ne savait pas cela, avant.

* * *

Jurassic Park nous donne finalement la clé. Nous, les modernes, disposons de grands moyens pour satisfaire notre émerveillement. L'imaginaire a trouvé des champs et des champs de nouvelles applications. La passion humaine pour les dinosaures s'explique certainement par nos nouvelles technologies de représentation et d'effets spéciaux. Nous reproduisons à l'écran les scénarios les plus inimaginables : cela ressemble à quoi, un tyrannosaure ? Et un paysage jurassique ? On admirait autrefois les dinosaures dans les musées d'histoire naturelle, dans leur forme squelettique, parfaitement immobiles. Il y avait quelque chose de sérieux, de sacré, d'académique dans cette visite. Nous les apercevons désormais au Colossus de Laval, sur écran géant, en 3D, ils se présentent en couleur, en odeur, vivants, animés, et notre siège vibre même sous leurs pas.

Les animaux ? Il n'est plus possible de réaliser un documentaire original sur le castor. Pour arriver à séduire un diffuseur, il faudrait inventer un castor géant avec des dents métalliques, des griffes empoisonnées, une queue qui tue, des barrages qui inondent des villes, un castor à l'haleine de feu, capable de carboniser à distance un vélociraptor, de paralyser l'homme-araignée venu en renfort, capable même de pulvériser le Wolverine aux quatre coins de la Boréalie.

Nous sommes loin de Dumbo, l'éléphanteau volant, mais au monde sulfureux des bestiaires les plus extrêmes, il faut ce qu'il faut.

Qu'arrivera-t-il quand cela arrivera ?

Je n'ai jamais espéré l'Europe, ses vieux pays, ses villes réputées. Pourtant, ce n'était pas la propagande qui faisait défaut dans ma jeunesse, une véritable cabale entretenue par des années de belle éducation dans un collège classique ne jurant que par le latin, le gymnase, l'historiographie de la Grèce et les tribulations de l'Occident. Nous faisions plus dans Charles le Chauve et Louis le Bègue que dans Gros Ours et Pied de Corbeau. L'Amérique sauvage et les grands parallèles de la petite histoire n'étaient pas la tasse de thé des frères enseignants. L'histoire des États-Unis restait brève. Celle de la France était interminable, surtout au chapitre de ses gloires et lumières. Véritable lavage de cerveau, dirions-nous à présent. Les Grands Lacs ne sont pas la Méditerranée, et pourquoi perdre son temps à parler de Batoche quand il faut apprendre par cœur le nom de chaque caillou historique reposant sur les plaines des Thermopyles ?

Je voulais le Sauvage, la forêt boréale, l'éloignement des épinettes les plus lointaines. Je rêvais Carcajou quand mes amis rêvaient Cocteau. Oui, alors que mes copains Bilodeau et Gélinas voulaient être Français, littérateurs ou comédiens, n'importe quoi pourvu que ce soit à Paris, avec l'accent et l'allure ; alors qu'ils souffraient le martyre d'être Canadiens, convaincus de leur pauvreté culturelle, attendant une chance de renaître en métropole, moi, je songeais à la retraite dans les épinettes et les ruisseaux, à ma cabane au détour d'un gros crique, à l'orignal noir, au loup gris, à l'ours baribal et à notre passé de liberté. Mes amis voulaient sortir de l'auberge, moi, je ne voulais pas sortir du bois.

J'ai lu Sartre sans jamais parvenir à l'aimer, pire, sans simplement parvenir à comprendre ses idées. J'avais pourtant un cerveau, et de la jarnigoine en masse. En plus, je savais lire. Alors, pourquoi les textes philosophiques de Sartre m'échappaient-ils à ce point ? Si tu t'appelles Bilodeau, on te recommandera de réécrire un argument vraiment obscur. Si ton nom est Gélinas, on te condamnera pour des prises de position ridicules. Mais si tu t'appelles Jean-Paul Sartre, tes brouillons emmerderont des générations d'esprits soumis. Tes sorties clownesques devant les usines seront glorifiées naïvement dans des commentaires délirants qui n'ont pas résisté au temps. Personne, hormis Claude Lévi-Strauss, n'aurait osé dire au maître de la place de Paris que sa philosophie respirait l'air des cafés enfumés. Mais il était naturel d'associer la clarté intellectuelle à la France, inconditionnellement.

* * *

Le loup attaqua le chevreuil avec la rapidité d'un fauve tapi dans les broussailles. Mais justement, il n'y avait ni fauve ni broussailles, il n'y avait qu'un champ de neige granulée, quelques sapins par-ci par-là, des silhouettes pointues au garde-à-vous dans le cœur brumeux des petits jours gris nommés « interminable fin d'hiver ». Comment un loup solitaire s'y était-il pris pour surprendre un chevreuil nerveux, réussissant à lui mordre le ventre, lui infligeant une bonne blessure ? Cela reste un mystère. Il nous faut croire que le chevreuil avait faim : il avait trouvé une talle de foin dépassant la croûte de neige, il avait un instant laissé tomber sa garde, il était sourd, ou bien découragé de sa vie ? Quoi qu'il en soit, le loup réussit l'impossible, c'est-à-dire s'approcher de la bête inquiète. Il lui prit une bonne mordée au corps, mais il laissa aller sa proie, l'échappant pour ainsi dire. Pour le moment.

Le lendemain, le chevreuil revenait dans le champ, le museau replongé dans ses talles de foin gelé. Sa blessure au ventre bien ouverte, toute rouge, était cruellement visible. Il avait si faim, il faisait si froid, il lui fallait manger le plus possible de ce pauvre foin avant que tombe la grosse noirceur. Le loup guettait, bien sûr, à l'orée du bois, couché sous un mélèze. Pour rien au monde il n'aurait quitté la place et abandonné son projet. Au bout de trois jours, sa patience lui servit, il parvint à tuer le chevreuil distrait et affaibli. Nous entendîmes, à l'heure des vêpres, les grands pleurs de la bête, le sifflement de la souffrance, le cri de désespoir d'une vie qui finit, la complainte du dégonflement final. Le loup tenait sa propre vie entre ses mâchoires. S'il n'avait pas pris ce chevreuil, c'est lui qui serait mort. Alors il le tua et entreprit de le manger sur place.

D'aussi loin que remontent mes souvenirs, j'ai été fasciné par ce jeu des couleurs : du sang rouge sur la neige blanche. L'encre de la vérité.

* * *

Tout cela pour dire que j'aime les films catastrophes. L'idée d'une grosse météorite approchant la Terre m'a toujours plu. Mais encore, que dire des épidémies, des monstres, des volcans, des tempêtes, des armées de démons ! Cela m'enchante et me distrait, hormis les vampires, dont je n'ai jamais eu peur, même pas un peu. La fin du monde me plaît beaucoup plus qu'un interminable Godard à propos d'une âme en peine, un étudiant en philo se mourant d'ennui dans un appartement du boulevard des Batignolles ! Dans l'imagination des scénaristes, Los Angeles a souvent été détruite par des tremblements de terre, victime de la vilaine faille de San Andreas. Mais la ville a aussi été envahie par des extraterrestres, à plusieurs reprises. Des machines métalliques reluisantes et sans cœur, des monstres gluants et des lombrics géants ont ravagé la Californie à répétition. Il y a eu des virus affreux, des menaces, des terroristes avec des bombes plus que nucléaires, des créatures souterraines, des anges destructeurs, des démons, des conflagrations, des gratte-ciel en feu, un tsunami, des vagues scélérates ; je ne connais pas de ville qui ait été autant frappée par tous les fléaux du monde. C'est cent fois plus que les sept plaies d'Égypte ! Hollywood a ses lois : immanquablement, voilà le président des États-Unis qui s'inquiète, décide, se décourage, meurt et se prononce sur des sujets aussi dramatiques que l'Armaguedon et l'avenir du monde après la fin du monde. La Maison-Blanche est constamment sur un pied de guerre quand Los Angeles est sous attaque de la part des armées impériales de la planète Zyrcon, d'où proviennent des zombies supérieurement intelligents qui menacent d'aboutir à Washington. Le Mal suprême s'en prend toujours au Bien absolu. Entre tous les pays du monde, les combats les plus durs se livrent immanquablement aux États-Unis. C'est comme pour la naissance du fils de Dieu : pourquoi Bethléem, pourquoi pas Batiscan ? Pourquoi les soucoupes volantes sont-elles tombées en 1947 à Roswell au Nouveau-Mexique (encore les USA) plutôt qu'à Drummondville ? J'en suis venu à croire qu'il y a anguille sous roche.

* * *

Je me souviens de longues soirées d'été, heures de méditation et de contemplation, seul sur la plage, comme une chose échouée, quelque part entre Mingan et Longue-Pointe-de-Mingan. J'écoutais la tranquillité du monde, assis sur le sable fin. Des macareux arctiques, que les pêcheurs appelaient des « perroquets », volaient en groupes au fil de l'eau. Oui, les oiseaux de mer étaient au rendez-vous, istorlets et moyaks, canards noirs, goélands anglais, outardes, je voyais même parfois des balbuzards. Mais cela n'était rien encore. Il arrivait qu'une orque épaulard surgisse hors de l'eau, comme un missile lisse et métallique ; elle s'élevait dans un sifflement irréel et majestueux avant de retomber avec fracas dans l'eau noire et calme de l'océan tranquille. J'étais conscient d'assister aux instants mythiques de la vraie nature du temps. Des petits rorquals se montraient aussi, en bandes, comme les phoques apeurés. Bientôt le soleil allait se coucher, disparaître derrière moi, il descendait dans les épinettes pour aller faire le beau de l'autre côté de la terre. J'avais la jeunesse et la paix, deux choses qui vont si bien ensemble, quoi qu'on en dise. Derrière moi, la forêt chétive, la mémoire boréale, le pays des Indiens. Devant moi, la mer.

* * *

Parlons de Lespérance, ce qui revient à parler des Canadiens (français) du Nouveau-Mexique. Beau sujet, en vérité. La chose, cependant, nous intéresse-t-elle vraiment ? Pierre Lespérance est né à Sorel en 1791. Comme des centaines et des centaines de jeunes hommes, qui de Chambly, qui de Repentigny, il quitte la vallée du Saint-Laurent et se retrouve à Saint-Louis dans le Missouri vers 1810. Ces jeunes aventuriers se font voyageurs, hommes des brigades de fourrure, explorateurs de la future piste de Santa Fe et des chemins montueux du Colorado et de l'Utah. Ils ne servent ni la charrue ni le curé, ils obéissent plutôt à leur pulsion de liberté.

En 1812, Pierre Lespérance appartient à la bande de Joseph Philibert. Je reste de longues minutes à contempler la photographie de Joseph Philibert, une rareté rarissime, reproduite dans une des biographies d'Étienne Provost. Comment ne pas s'émerveiller de la chose ? Voici la photographie d'un homme né en 1775, au Québec, au lendemain de l'Acte de Québec, un humain qui avait quatorze ans au moment de la Révolution française ! Voici la photo d'un acteur principal de l'époque brève et fulgurante où les Canadiens français tenaient le haut du pavé dans le grand Illinois, un homme d'un autre temps, mort en 1866, à quatre-vingt-onze ans, un an avant la Confédération canadienne, à une époque où, selon nos bons experts modernes, tous mouraient de vieillesse à trente-cinq ans ! Et voici sa photo, le portrait réel d'un vieil homme ayant eu un pied dans le XVIIIe siècle ; il a l'air encore solide, mais surtout, il a l'œil dur… Philibert brassait de grosses affaires à Saint-Louis, compétiteur de Manuel Lisa, d'Auguste Chouteau, de William Clark et de Joseph Robidoux. Pour ne nommer que ceux-là.

En 1814, les hommes de Philibert sont une trentaine à faire le voyage de traite des fourrures dans le grand Sud-Ouest. Sous la gouverne de leur patron, on les retrouve dans la région de Santa Fe. Lespérance est du groupe et il voyage avec de bien grands noms : Étienne Provost, la future légende des montagnes de l'Ouest, François Leclaire, son associé, Toussaint Charbonneau, le célèbre mari de Sacagawea. On retrouve aussi Michel Bissonnette, qui sera tué par les guerriers de Mauvais Gaucher lors du traquenard tendu aux hommes d'Étienne Provost en 1818 dans les montagnes de l'Utah, près du grand lac Salé. Louis Robidoux, fils du patriarche Joseph, accompagne aussi la troupe, c'est l'un des rares survivants de cette bataille (où dix coureurs de bois furent tués). Mentionnons finalement la présence de Jacques Laramée, celui qui donnera son nom à tant de lieux au Wyoming, où il perdra la vie dramatiquement cinq ans plus tard, tombé dans une crevasse ou tué par les Arapahos, nul ne sait plus très bien.

Lors de l'expédition de 1814, tous ces hommes, Philibert compris, seront mis aux arrêts par les autorités espagnoles pour avoir trappé le castor sans permis. Les soldats de Santa Fe les garderont sous les verrous pendant quelques mois, avant que les autorités de Durango ne les libèrent avec grâce et élégance. Ils ont fait de la prison, ils ont fait aussi la fête, la fiesta, devrais-je dire, séduisant les plus belles femmes et buvant, et dansant, et chantant les chansons joyeuses de leur pays du Nord. La place de Santa Fe vibrait aux sons et aux musiques de ces drilles canadiens, des hommes habitués au silence sépulcral des nuits dans les plaines et les montagnes, mais qui savaient conter et s'amuser quant l'occasion se présentait.

Lespérance continua sa vie de trappeur pendant des années à l'emploi des compagnies de Saint-Louis. On raconte qu'il trappait avec Jacques Laramée lorsque celui-ci perdit tragiquement la vie dans la vallée de la petite rivière Laramie, près du futur fort Laramie, sur la piste de l'Oregon. Les années passèrent, Lespérance retourna trapper dans les monts Ortiz au Nouveau-Mexique, où il abandonna graduellement sa vie de trompe-la-mort. Il s'installa à demeure dans un endroit dit Las Vegas, non loin d'Albuquerque. Puis, il construisit sa maison dans la vallée de Tecolote, tout près d'un lieu qui porte encore aujourd'hui le nom très particulier de Truth or Consequences ! Lespérance se lança dans l'exploitation forestière et devint un grand commerçant de pin ponderosa. Il possédait la plus belle scierie de la région, fabriquant de la planche, des poutres et des madriers pour la construction des maisons à San Geronimo. Il se maria deux fois, d'abord à Anecita Galetos, ensuite à Dolores Garcia. Le pauvre Lespérance n'eut pas d'enfant, mais il fit venir son neveu de Saint-Louis, un Lespérance qui s'appelait Pierre lui aussi. Ce dernier opéra la scie de long avec grande compétence et les Lespérance s'enrichirent. Le neveu était plus fertile que l'oncle ; avec son épouse mexicaine, il eut une armée d'enfants. Évidemment, tous les Lespérance du Nouveau-Mexique descendent de cette famille originelle. Il existe encore aujourd'hui un village appelé Tajique où 90 % de la population porte le nom de Lespérance. Ils sont tous bûcherons, menuisiers, ébénistes.

Le premier des Lespérance mourut vieux, en 1879, dans la quatre-vingt-neuvième année de son âge, à une époque où, disions-nous, selon nos bons experts, tout le monde mourait à trente-cinq ans. Il avait bien connu Juan Batista Chalifou (Jean-Baptiste Chalifoux), le petit gars de Limoilou devenu le plus grand bandit de son époque au Nouveau-Mexique, en Arizona et en Californie, ce Jean-Baptiste Chalifoux qui se réfugiait toujours à Cache la Poudre au Colorado entre deux mauvais coups, lui et ses nombreux hommes, Canadiens, Delawares, Iroquois, Mexicains, Apaches, constamment poursuivis mais jamais rattrapés par l'armée américaine. Le vieux Lespérance avait aussi fort bien connu les deux frères Mercure, originaires de la ville de Québec, qui tenaient saloon sur la place de Santa Fe, et dont le plus jeune fut frappé de démence et mourut nulle part ailleurs que sur la piste de Santa Fe, justement, où il s'était mis à courir, complètement nu, en vociférant ! Le pauvre Mercure ayant été agent des Affaires indiennes, les mauvaises langues prétendirent que cette fonction avait été aux sources de sa perte de raison. C'est dans le saloon des Mercure que fut assassiné François Xavier Aubry, le petit gars du rang Trompe-Souris à Louiseville, le cavalier le plus rapide de l'Ouest, le convoyeur génial, l'homme d'affaires remarquable, qui avait réuni 5 000 moutons à Las Vegas et Tecolote pour les mener vendre à San Francisco par une piste seulement connue de lui, ce qui lui valut une autre fortune !

* * *

C'est ici que je me demande : qu'arrivera-t-il quand cela arrivera ? Qu'arrivera-t-il quand le dernier humain, tel que je l'ai connu, mourra ? Ce sera peut-être moi, d'ailleurs ! J'aurai ma photographie en noir et blanc, une photo unique et précieuse représentant un ancien spécimen humain. Je serai mort à trente-cinq ans, conformément aux observations des bons experts modernes. L'histoire de mon étonnant Lespérance ne vaut pas plus que ma pauvre espérance de vie. Et comme lui, mes visions du monde archaïques se seront envolées avec mon époque. J'aurai raté par une génération l'avènement du nouvel humain ! J'aurai vécu toute ma vie avec une pensée lente, une infirmité lourde de l'intellect, une âme primitive en somme. J'aurai vécu avec une âme simpliste, émerveillé de voir une orque épaulard sortir de l'eau. Cela ne se fait plus, s'asseoir et ne rien faire, à l'affût des soubresauts magiques d'une réalité imprévisible. Elle est finie, l'épiphanie élémentaire, depuis l'avènement des écrans à tout faire.

Je conviens que ce *cela* est effrayant. Qu'arrivera-t-il lorsque plus personne ne comprendra ce que je suis en train de raconter ? Lorsque plus personne ne voudra même entendre un mot de mon propos insensé ? Lorsque la fin de ce monde arrivera finalement ? Une grosse météorite va s'abîmer sur la Terre ? Nous assisterons au choc numérique des Titans ? Le sol va trembler, les continents se disloquer, et ainsi de suite qui fera se libérer les démons de l'enfer ! Non. Les choses se déroulent plus simplement. On va me passer une camisole de force, me bourrer de pilules, et prendre soin de moi. J'assisterai en direct à la mort de ma langue, de mon histoire et de mon identité. Une voix répétera sans cesse : les nouveaux humains sont arrivés, les nouveaux humains sont arrivés, ils sont plus grands, plus forts, ils vivront plus vieux, en meilleure santé, mais surtout, ils sont plus intelligents. Regardez le progrès ! Ils ne seront plus jamais comme vous ! Ils savent manger, ils savent respirer, ils savent tout ce que vous ne saviez pas, vous et les tristes ancêtres avant vous.

Ils sont des milliards et des milliards à jouer, un million d'applications, des réseaux de noyaux, des grappes de Nexi (mais pourquoi donc suis-je en train d'accorder le mot *Nexus* selon les règles de la grammaire latine ?) sur des écrans tous formats, avec batteries inusables, plaisirs durables, développement continu des jouets et des jeux. Ils vont propres et sans poils, les humains mutants, jeunes, rasés et iPad en main. Les vieux pays ne sont plus vieux, le nouveau monde n'est plus nouveau, nous vivons sur la planète Smaller, sur la planète Smarter, au monde des *links,* des *clouds* et autres *starting from scrap* ! Le loup mange le chevreuil à la vue du monde entier depuis que les nouveaux chasseurs ont des caméras cachées dans les bois. La nouvelle réalité est très télé et *l'avenir de la radio passe par l'image* !

Qu'arrivera-t-il quand cela arrivera, la mort de tout ce que je connais, au profit d'un monde qui n'a rien à faire de mes références ? Qui est Sartre, qui est Montaigne, qui sont ces gens *anyway* ? Pas de problème, mon ami, pas de problème. Nous aurions tort de nous en faire. Selon les publicités de Microsoft, *il n'a jamais été aussi intéressant d'être une famille* ! Grâce au numérique, la nouvelle humanité est en mesure d'encadrer les derniers restants de la vieille société grippée et ignorante. Nos enfants nous mènent dans la joie vers le ridicule festif de l'obsolescence consentie. Regarde grand-papa qui danse le twist sur YouTube ! Et nous pourrons, vieux, faire des recherches divertissantes sur Internet en ramassant des miettes d'une vérité que la jeunesse possède, mais qui nous a échappé, à nous, durant toute notre vie.

Le Parti du loup

Le Parti du loup

Je rêve du jour où un représentant du peuple, cela s'appelle un « député », posera la question en pleine Assemblée nationale : « Monsieur le ministre des Ressources naturelles, combien y a-t-il de loups dans la province de Québec ? » Cela rafraîchirait les débats, enfin, le temps d'un malaise ; car il est certain que les députés de tous les partis riraient poliment, puis on passerait vite à un autre sujet. Bien sûr, personne ne saurait donner la réponse. Y a-t-il un zoologiste dans la salle ? En l'absence de commission parlementaire sur les loups, nous nageons dans l'approximatif. Notre monde affairé est obsédé des vraies affaires : l'attention portée aux loups, à savoir s'ils sont en santé, heureux, en danger ou en peine, est en dessous de tout. Voilà qui s'appelle « aller de l'avant ». Nous construisons un monde, nous détruisons un monde – ce qui est la même phrase –, sans savoir combien de meutes de loups vivent dans les limites de notre belle province. Cela porte un dur coup à notre belle assurance, ou cela nous rassure dans notre formidable indifférence – la même phrase encore. Nous gérons tout, surtout ce que nous ignorons.

Je suis le chef du Parti des loups. Selon mon programme politique, il est impossible de forer pour trouver du pétrole, de construire un pipeline, de creuser un trou de mine, de faire un chemin en région sauvage, de zigzaguer en motoneige dans les grands espaces, de déboiser à blanc, sans d'abord consulter l'assemblée des vieux loups. Ici, le sondage ne sert à rien. Pour juger du point de vue des loups, il faut les entendre hurler la nuit, les museaux pointés vers le ciel. La légende veut qu'ils se lamentent à la lune et la légende veut encore que nous en soyons bien effrayés. Mais en vérité, leurs chants ne menacent rien ni personne. Les loups consultent simplement le ciel ; leur hurlement est un concert, une assemblée politique d'âmes libres et sauvages. Les loups sont les gardiens des nuits les plus anciennes, ils ont en mémoire des choses que nos développeurs ignorent. Les loups savent prier, ils ont le sacré dans la peau. En fait, et cela est remarquable, ils ne font pas de leurs croyances une grande guerre de religion. Ils sont simplement fidèles à leur credo : on ne négocie pas sa beauté et encore moins sa liberté.

Le loup est *mahigan* en innu-aimun, la langue des Innus, tout comme *odjick* est le pékan en anishinabe algonquin. Le premier chef innu créé par un Samuel de Champlain déboussolé devant une société sans chef s'appelait Mahigan Attik. Voilà un bien beau nom de personne qui signifie « loup caribou ». Le chef Mahigan Attik était chrétien, une condition sine qua non pour avoir la confiance de l'autorité française en ces temps reculés. Mais l'histoire ne dit pas ce que Mahigan Attik pensait vraiment de toute cette mascarade. C'était un Innu des temps anciens, un chasseur qui fréquentait avec sa famille, en été, les postes de Tadoussac et celui de Kébec. Le rôle de chef indien, si cher à l'entendement français, était tombé sur lui. Il savait bien, en regardant le ciel de nuit, qu'Odjik représentait la constellation du Grand Pékan, il savait que les loups imploraient souvent Odjik pour que le caribou collabore et fasse en sorte que les louveteaux mangent à leur faim dans les tanières du cœur du monde. Il connaissait les « lutins », ces voleurs de poissons, et Tshakapesh, l'enfant couvert de poux. Il en savait tellement, au moins autant que le loup qui parle à la nuit.

Si mon parti était au pouvoir, je nommerais la 117 qui file vers Val-d'Or la route Odjik, c'est-à-dire la route du Grand Pékan, en l'honneur du peuple des Algonquins et de toutes les familles odjiks des communautés anishinabes. De la même manière, sur la fameuse route 138 à l'est de Québec, je ferais ériger une belle plaque qui dirait : « Vous roulez sur la route Mahigan Attik. » Cette référence honorerait à la fois l'esprit du loup, le maître des caribous et l'histoire des Innus, mais surtout l'histoire du pays et les angoisses de ce vieux chef montagnais qui fit le pont entre les manières françaises et les manières de son peuple, sans trop savoir où cela allait tous les mener. La route des Loups est une voie qui s'enfonce dans les collines du temps passé. Sachons reconnaître ces passages secrets et sachons bien nommer les choses, avec respect et poésie.

Et nous pourrions poursuivre notre programme : une bonne portion de la 132 qui s'allonge vers Rimouski et la Gaspésie recevrait le nom de route des Petits Chiens, parce que voilà bien la signification du beau toponyme de Rimouski, lequel vient du mot Armouchiquois, le premier ethnonyme utilisé par les Français pour désigner les Abénakis. Les Armouchiquois, la Confédération des Petits Chiens.

J'ai bien aimé cet homme, Apinamiss, le petit Abraham, qui avait accidentellement tué un gros loup sur la route entre Mingan et Longue-Pointe-de-Mingan. Apinamiss conduisait en ce temps-là le premier autobus scolaire servant à transporter les enfants innus de Mingan à l'école des Blancs de Longue-Pointe. L'histoire remonte à plus de trente-cinq ans. Un jour, au volant de son gros autobus jaune, il ne put éviter ce loup qui se tenait immobile au milieu du chemin. Une bête magnifique au pelage très pâle, presque blanc. Apinamiss a ramené la carcasse au village où nous avons tous pu la voir. Noble loup, loup mystérieux. S'était-il donné la mort, avait-il choisi son moment, était-ce un vieil individu solitaire, abandonné de sa meute ? Pourquoi avait-il choisi Apinamiss, cet autobus, cette route, ce jour-là ? On aurait dit que sa mort avait un sens, qu'elle était dans l'ordre des choses. Je sentais que mes amis innus avaient tous compris que *le loup avait parlé.*

Un mois plus tard, dans un coin retiré de la forêt, j'ai retrouvé le loup d'Apinamiss. On avait construit un échafaud parmi les épinettes pour y déposer le crâne et les os du loup, ainsi que ses pattes. Le crâne était en partie peint en rouge et il regardait vers l'est. Quelqu'un avait fait ce qu'il fallait pour l'âme du loup, non pas une offrande, mais bel et bien une cérémonie de reconnaissance, une façon respectueuse de garder le contact avec le monde animal. « Tu es venu mourir chez nous, *Mista Mahigan,* tu es venu vers moi, j'honore ta volonté, je célèbre ton nom, le grand esprit du loup. » Lorsque le jeune anthropologue que j'étais demanda à répétition ce que cette mise en scène voulait dire, mes amis baissèrent la tête en souriant, comme pour me dire : *apprends-le par toi-même, découvre la voie du sacré.*

La louve protège ses petits et la meute entière les élève. Elles sont des sœurs, ils sont des frères. Les loups chassent de concert, ce sont de grands marcheurs qui laissent les traces de leurs mouvements disciplinés dans la neige, ils sont résistants et infatigables, ils vont vers les proies qui s'offrent à eux. Nobles chasseurs à quatre pattes, ils font partie de la chaîne de la vie, chacun jouant son rôle dans la danse cosmique. Disons ceci : la forêt aime les loups, car pour la forêt, les loups contribuent à la santé de toutes les choses. À cause des loups, l'eau de la rivière est plus fraîche, le sapin dans la coulée est plus vert, les castors se le tiennent pour dit quand ils vont grignoter le pied des trembles, les vieux orignaux savent comment l'histoire va finir. Les arbres aiment cette queue-leu-leu, cette furtivité, cette efficacité. Mais il faut dire aussi, dans un même souffle, que les arbres aiment les campements innus, les cris des enfants qui jouent dans les alentours, le bruit de la hachette qui ébranche une perche gelée, la fumée résineuse, le chant de la langue des humains, l'odeur de la soupe au lièvre.

J'ai fait un rêve l'autre nuit. Je me levais à l'Assemblée nationale, je profitais de la période des questions : « Chers amis, chers collègues, combien y a-t-il de lynx dans la province de Québec ? » Et je disais encore : « Savez-vous que le lynx se dit *peshu* en innu et qu'il y aurait beaucoup à dire à son propos ? » Un ministre du parti au pouvoir de me répondre : « Mais dites-moi, honorable chef du Parti du loup, pourquoi tant de sensiblerie à propos des lynx et qu'est-ce qu'un pékan, finalement ? » J'avais à peine commencé à décrire le petit *odjik*, grand chasseur de porcs-épics, que les politiques finirent par m'interpeller plus sèchement : « Où voulez-vous en venir avec toutes ces bibittes à poil ? Ce ne sont pas vos loups ni vos espèces de "pécanes" qui vont nous aider à produire un budget équilibré ! » Un cauchemar, je vous dis.

J'ai fait un autre rêve, une autre nuit. J'étais un loup abitibien et j'avais faim. Un soir d'hiver, par un froid à rebrousser le poil, parce qu'elle sentait la viande je suis monté furtivement dans une remorque vide dont on avait laissé les portes ouvertes. Soudainement, les portes se sont refermées et j'ai été pris au piège. Le gros camion a pris la route, avec moi dans la remorque, ballotté par le transport et les cahots du chemin. Nous avons roulé toute la nuit pour arriver au petit matin à Montréal. Lorsque les portes se sont ouvertes, j'ai sauté en bas du véhicule et filé me cacher dans une sorte d'entrepôt. Imaginez le choc : c'était un abattoir ! Tant de viandes suspendues, le paradis du carnassier ! Mais j'ai vite été aperçu et j'ai repris la fuite. Je me suis retrouvé complètement perdu dans ce quartier urbain de l'est de la ville où je savais que je n'avais aucune chance de m'en sortir vivant. Ils m'ont tué à l'angle des rues Rachel et D'Iberville, alors même que je rendais les armes et que j'offrais mon âme à Manitou. J'aurais pu me faire passer pour un gros chien et négocier ma peine, mais cela ne s'est jamais vu dans le monde des loups. Plutôt mourir d'un coup sec que d'engraisser sous le régime de la gamelle. Les Montréalais ne m'ont pas fait d'échafaud entre deux érables argentés ou deux frênes urbains. Ils n'ont pas changé le nom de la rue Rachel pour « la rue du Loup qui a voyagé de nuit dans un camion de Brazeau Transport ». Ils n'ont rien dit, sinon ceci : « Y est plus gros qu'on pensait ! » J'ai été mis aux rebuts, sans cérémonie. Les gens de la ville ne savent rien des codes de sortie, encore moins des cérémonies boréales.

Au fil des siècles, l'Europe a tué ses loups, sans répit et sans remords. L'homme est devenu le grand seigneur du vieux continent. En ces déserts déforestés devenus de mornes campagnes parsemées de bosquets et de broussailles, on a inventé le mythe du méchant loup, l'histoire du Petit Chaperon rouge, les légendes des bêtes effrayantes qui reniflent le sang. Des yeux dans la nuit, des hordes et des hordes, tout un folklore injuste et malheureux visant à démoniser le pauvre magnifique. Depuis longtemps, là-bas, les gens hurlent et crient de peur : « Les loups sont aux portes de la ville… Les loups sont aux portes de la ville ! » Il faut dire qu'en tuant le loup, l'Europe tuait aussi la liberté.

Vous le savez, je l'ai tant écrit, tant radoté : j'ai toujours été amoureux de nos grands territoires, j'ai toujours été fier de nos loups. Les avons-nous assez racontés, assez vantés ? En avons-nous assez rêvé ? Les terres à loups seront rares demain, lorsque tous les boulevards Taschereau du monde auront défiguré les paysages. Quand le dernier vieux loup hurlera son ultime prière au ciel, nous entendrons pour une dernière fois la note aiguë de l'âme sacrée des bois, le dernier appel de la forêt, la voix du pauvre loup, le revers du monde, sa défaite, la complainte du désenchantement.

Je sais, mon parti n'a aucune chance aux prochaines élections.

Le lac Ferme ta yeule

Je voudrais être un huard, amoureux et paternel, nageant à la surface tranquille d'un lac profondément sauvage, à la tombée de la nuit, entre deux montagnes dont les crans arrondis viennent plonger dans l'eau noire.

Un océan d'épinettes cachant une galaxie de lacs, voilà l'immensité de ce que nous pourrions appeler un « trésor national ». Mon programme politique se précise, une indignation après l'autre. Au chapitre de la forêt dont le régime d'exploitation m'a toujours torturé, j'ajouterais celui de l'eau. Car je trouve embarrassant le fait historique suivant : depuis 1867, nous avons toujours concédé nos forêts à des cartels, créant des fortunes colossales à l'étranger et dans les villes, laissant de maigres redevances à l'État, nous contentant des emplois de bûcherons et de haleux, multipliant les villages inquiets, les régions en otage et les truckeurs endettés. Au lieu de construire un monde et de le faire bien vivre, cette approche a toujours détruit l'avenir autant que la nature. Plutôt que d'alimenter la saine croissance de pays forestiers autonomes, elle a engendré des « régions ressources » dépendantes des cartels. Et nos gens n'auront jamais profité du bois et du trésor comme ils l'auraient pu si, jadis, nous avions respecté le colon au lieu de déifier le capitaliste. De la même manière aujourd'hui, j'ai peur pour l'eau. J'ai peur que nous la liquidions pour de maigres redevances, créant des emplois de porteurs d'eau, gaspillant la réserve comme nous l'avons fait de la forêt. Il y a chez nous beaucoup d'arbres, il y a beaucoup d'eau, mais verrons-nous un jour combien ils sont précieux ?

Nos lacs. Ils sont si nombreux qu'il a fallu du temps, beaucoup de temps pour en faire un décompte seulement approximatif. Le territoire en cache des dizaines de milliers. Les a-t-on vraiment comptés sans en oublier un seul, les a-t-on tous nommés, racontés ? Protégés comme on protège la prunelle de nos yeux ? Ces lacs magnifiques, on les découvre partout, au bout d'un sentier, au détour d'un chemin ; chacun porte la mémoire des amonts, chacun laisse courir la rumeur de ses sources, le petit chant de ruisseaux cachés, de charges et de décharges qui sont des ouvertures vers d'autres lacs, des passages, des couloirs et des haltes, des sauts, des rapides, des eaux blanches, des chutes. Et dévalent les rivières, et naissent les vallées, et chaque vallée a son histoire. Si vraiment ce lac est un œil, alors il en a vu.

Il en a vu, des nuits étoilées, des ciels et des ciels, les gris sombres de l'immortalité, les bleus comme du velours, les mauves du matin, les orangés du soir. Nos lacs. Ils en ont pris, des coups de froid, dans le creux de l'automne. Leurs beaux visages se sont ridés au passage des brises ; ils ont gelé dix mille fois et dix mille fois ils ont dégelé, craqué, calé. Les bruits sourds, puissants, de ces tremblements de glace ont impressionné les jeunes épinettes qui ne les oublieront jamais. Les plus grands lacs affrontent les tempêtes et le vent qui cingle, les plus humbles se recueillent, repliés dans leur écrin, à l'abri des regards. Ils entendent le craquement sec du vieux pin qui finalement se casse après s'être penché pendant deux cents ans au-dessus des eaux de la petite baie. Dans ce temple tranquille, pareille cassure est un gros événement.

Les lacs et les rivières ont connu le feu, la traversée de

l'orignal, les traces régulières des raquettes sur la neige, les courses des caribous dans la poudreuse. Chaque lac est un dessin, un tableau. Notre pays est troué de beautés. On dirait que des castors géants ont œuvré patiemment, une génération après l'autre, pour créer ces plans d'eau, creuser des canaux, distribuer l'eau aux quatre coins de la forêt immense. En vérité, nous contemplons l'œuvre des glaces anciennes : une réserve de vie fraîche dans des assiettes de roches cambriennes. Car c'est bel et bien sur une table, une grande table penchée, que coule et chemine l'eau, vers des vallées de sable et vers la mer. Elle est patiente, l'eau, elle paresse et s'attarde, elle traîne au soleil, elle regarde les arbres, elle caresse la roche, mais il faut bien qu'elle bouge. Parfois, elle devient très froide et lumineuse ; filtrée dans des eskers précieux, elle est la pureté même.

Nos rivières. Voici celle du Lièvre et celle du Loup, la rivière aux Sables et la rivière aux Roches. Celles-là ont une belle robe rouge : l'Olomane et la Romaine des Innus, et l'Onomani des Anishinabes, qui deviendra la Nominingue. Et voici la Matane, la Cascapédia, la Matapédia, la magnifique Ashuapmushuan ; et les souveraines Mistassini, Chibougamau, Péribonka, Harricana, Chisasibi ; puis la rivière des Outaouais, la Moisie de la Mista Shipu, la Patamu Shipu, la rivière Mingan, la Natashquan. Où donc s'arrêtera le poème algonquien, chantera-t-il nos grands lacs, l'Ashuanipi, le Pikouagani, le Kénogami, le Matagami, le Waswanipi, le Manaouane, l'Ouinouakapau, le Michikamau, l'Abitibi, le Témiskamingue, le Témiscouata et le Kipawa ?

Ils en ont vu, nos lacs, des maisons de toile et des feux de camp, ils en ont vu, des gens parler aux esprits, à la recherche des âmes en voyage, ils en ont vu, des familles, des canots d'écorce, des canots de toile et des canots de bois, des traîneaux. Ils ont vu des naissances en hiver, des fillettes nommées Desneiges ; ils ont vu des vieux mourir dans la posture résolue des sages, ils ont vu des noyés, des rescapés, du bois flottant et du bois mort. Le chien du nomade jappe, le loup hurle, l'écureuil roux y va de son sifflement strident et saccadé, le grand corbeau se tait, les familles vont de lac en lac, montant vers le nord ou descendant vers le sud, voyageant les allers-retours, de l'embouchure de la rivière jusqu'à la tête des eaux.

Voici le lac Cinq Cennes, il est gros comme ma main, il ne vaut pas cinq cennes, oublié qu'il est derrière ces trois collines. Mais il y a en son milieu une cabane de castors, une famille de soyeux, des animaux heureux. Le lac Cinq Cennes a une eau tranquille et pure, comme si elle se reposait en sa cellule, au fond d'une écaille, comme si c'était le dernier sou d'un trésor. Il touche presque au lac aux Ours, tout juste au bout de la rivière des Ours, là où se courtisent les perdrix, là où les hérons aiment se recueillir, là où viennent boire les petits veaux de la mère orignale et les petits de la mouffette. Je connais un lac qui s'appelle Ferme ta yeule ! Il faut cultiver le silence pour ne pas effrayer la truite, oui, mais surtout garder l'omerta sur ces fosses à dorés. Il y a le lac qui parle, celui qui ne parle pas, le lac Menteur, le lac Clarté, le lac Noirceur. C'est dans cette direction, six lacs plus au nord, à la fin du portage de La Fourche, au sortir de la longue montée qui débouche sur le lac Caché, à la tête de la rivière Ennuyante.

Nos rivières ont été des routes d'eau sacrées que les canots ne pouvaient pas souiller. L'eau a été la voie de nos interminables explorations, c'est le long de son cours que nous nous sommes enracinés, et l'eau partout nous a été fidèle, elle ne nous a jamais manqué. Les puits de surface ont tiré une eau pure et abondante. Il y avait des plages où se baigner, des endroits où pêcher, des vues et de belles vues. Mais les moteurs sont venus, les petits dégâts d'huile, un petit peu d'essence par-ci et par-là. La cabane de l'ermite a fait place au chalet de l'urbain, le canot a fait place au moteur hors-bord. Cela n'a jamais été grave de briser la virginité millénaire d'un lac. L'eau s'est brouillée, un peu, au fil du temps. Nous avons fait des barrages, des grands et des petits, des publics et des privés, des écluses, comme des enfants qui s'amusent avec les rigoles au printemps. Les rivières sont devenues des transporteurs de bois flotté. Nous avons mangé la forêt et nous l'avons digérée par les voies d'eau. Elles ont été bloquées en amont, entravées, barrées, embarrassées, étouffées. Nous avons changé toute la nature du bon Dieu, le cours des rivières, les bassins des lacs, les niveaux et les débits, nous avons créé de petites mers intérieures et artificielles – les réservoirs Gouin, Cabonga, Baskatong, Dozois, Kempt, Manouane, Kipawa, Manicouagan, Romaine, Caniapiscau, La Grande. Et dans les forêts ennoyées avec des arbres debout, les poissons se sont perdus dans les sous-bois.

Nous avons flotté, nous avons charrié, nous avons chargé des billes, de Saint-Billot-de-Toutes-les-Pitounes à Sainte-Contrainte-de-Tous-les-Embâcles. Nous avons tué nos lacs, dynamité dans les rapides, brisé le cours de nos eaux. Nous avons souillé des nappes phréatiques, gazonné des bords de lacs, remblayé des marais, détruit des milieux humides, pollué des ruisseaux, renvoyé directement nos égouts dans le courant. Nous avons été les méchants castors du diable, les castors noirs et monstrueux de la fin du monde, c'est-à-dire l'envers du castor bienveillant et ingénieux. Et maintenant, nous nous apprêtons à faire commerce de l'eau. Nous, les porteurs d'eau, sommes en passe de devenir des vendeurs d'eau, des vendeurs pressés de liquider, sans réfléchir, de l'eau en vrac ou en bouteille, de l'eau pure à volonté, pour pouvoir nous acheter un peu plus de yachts, un peu plus de *seadoos*, plus de chalets, de régates et de plaisance.

Je suis rassuré, on me souffle à l'oreille qu'un homme, quelque part entre Tadoussac et la Basse-Côte-Nord, enregistre avec minutie le chant de l'eau de toutes les rivières et des moindres ruisseaux qui se jettent dans le fleuve. Prendre le temps d'écouter l'eau ; déployer ses habiletés de preneur de son pour capter fidèlement le petit cantique ; espérer savoir ce qu'elle raconte, l'eau, ce qu'elle chantonne ; tenter de reconnaître la différence entre chacune de ses descentes, sur le gravier, dans le sable, par paliers ; pouvoir distinguer le son d'une chute, et d'une autre, sa prière. Oui, cela m'inspire et m'encourage à préciser, comme je le disais, mon programme politique. Mesure numéro 1 : qu'un gouvernement, un jour, en notre nom, déclare l'eau bénite et que chaque député en boive un verre au début de chaque session.

Yerba Buena

Sur la piste de Jean Baptiste Eugène Laframboise

La Californie. Dans certaines de ses parties, l'herbe pousse plus verte que dans les États voisins. Ses arbres croissent si grands et si gros qu'aucune forêt au monde n'en abrite de pareils. Ses déserts sont chauds comme des fours. Avant les Espagnols, les Indiens y vivaient nombreux, disons 300 000 âmes, à l'estime. Ils allaient parmi les déserts de la mort, où ils fouillaient le sol avec patience et dextérité. Ils longeaient les côtes de l'océan Pacifique, où ils mangeaient des coquillages et chassaient les mammifères marins. Ils hantaient les montagnes rugueuses de la Sierra Nevada, les forêts monumentales du Nord, la riche vallée de la Sacramento ; ils cultivaient leur tranquillité au paradis des humains. Mais la centaine de nations originales qui vivaient là – Miwoks, Yuroks, Karoks, Modocs, Yumans, Yanas, Mohaves et autres – furent tragiquement décimées par les maladies européennes entre 1760 et 1860. Elles disparurent presque totalement en un siècle de misères et de deuils. Les derniers survivants furent simplement abattus, en cette Californie paradoxale qui se rangeait parmi les États anti-esclavagistes mais qui permit, jusqu'au début du XXe siècle, l'assassinat des Indiens contre une prime du gouvernement.

Souvenons-nous de Kintpuash, chef modoc, connu sous le nom de Captain Jack au lieu dit Lava Bed. En 1872, sa bande de rebelles fut encerclée, massacrée et finalement anéantie par l'armée américaine. Le Capitaine fut pendu, véritable lynchage de premier ordre. Souvenons-nous d'Ishi, le dernier des Yanas, trouvé errant en bordure d'Oroville en 1911 et qui vécut les cinq dernières années de sa vie au Musée d'anthropologie de la Californie, sous la loupe bienveillante de l'anthropologue Alfred Louis Kroeber. Il mourut de tuberculose en 1916. Il ne s'appelait même pas Ishi ; ce nom lui avait été donné par le Musée car, dans sa fierté traditionnelle, le dernier des Yanas demeura toujours muet sur son identité face à ce monde étranger qui venait d'exterminer son peuple. Oui, la presque totalité des Indiens de la Californie payèrent de leur vie cette entrée dans l'histoire brûlante de l'humanité en marche, sous les drapeaux espagnol, mexicain et américain, pour la passion de l'or et pour l'honneur du progrès universel.

Les Franciscains ont bien tenté de sauver leurs âmes. La Californie fut espagnole et très catholique : les *padres* établirent plus de vingt missions afin de convertir d'urgence les Indiens avant leur départ pour un autre paradis ou un autre enfer, dans l'herbe verte de la vallée des dieux ou dans la chaleur du four du diable. Déclinons la sainte litanie : San Diego, San Bernardino, Santa Monica, Santa Barbara, San Jose, San Francisco de Asis, San Joaquin, Nuestra Señora Reina de Los Angeles, Sacramento, Santa Lucia, San Luis Obispo, Santa Cruz… On se croirait dans la très catholique province de Québec. La terre sainte égrenait les noms bénis du chapelet de ses *pueblos*, le long de la route légendaire d'El Camino Real.

Depuis des années, je débusque les récits oubliés d'une Amérique dénigrée, celle des Amérindiens, bien sûr, mais aussi celle des femmes voyageuses et remarquables, des

Métis francophones et des coureurs de bois canadiens-français. Dans ma quête passionnée, j'ai toujours espéré rencontrer un Bouchard. Il m'a fallu explorer la facette française de la Californie pour finalement en trouver un. Je vous le présente, Hippolyte Bouchard. C'était un marin français, un corsaire redoutable qui pillait les Espagnols pour le compte de l'Argentine souveraine. C'est à ce titre qu'il attaqua les missions de la Californie, les unes après les autres, en novembre et décembre de l'année 1818. Natif de Bormes-les-Mimosas, sur la côte méditerranéenne, Bouchard devint un héros national argentin, pirate des sept mers, avant de se retirer au Pérou dans l'intention de s'enrichir dans le domaine du sucre – et voici l'origine, je suppose, de mon gène diabétique. Hipolito Bouchard ne devait pas être commode, car il mourut assassiné à la mi-cinquantaine par ses *peones.*

D'autres navigateurs encore plus célèbres hantèrent les côtes de la Californie, dont le Français La Pérouse, successeur de Francis Drake et de George Vancouver. Puis vinrent les expéditions scientifiques françaises au XIXe siècle, qui constatèrent la vulnérabilité des territoires mexicains le long du Pacifique. Selon leurs rapports, un simple raid naval de faible envergure pouvait donner l'entière Californie à la France. Cette dernière fut tentée par l'aventure, mais elle ne se commit pas. Bien drôle de France, disons-le, qui en 1763 avait abandonné ses « arpents de neige » en Amérique au profit de quelques îles tropicales dans les Caraïbes ; une France qui venait tout juste, en 1802, de vendre sa Louisiane, soit trente-trois pour cent du territoire américain actuel, et qui revenait à la charge en voulant contrôler le Mexique, fort maladroitement, avant de songer à planter son drapeau en Californie !

Il est vrai cependant que la langue française se fit entendre en Californie bien avant que ce territoire ne se joigne à l'Union américaine, bien avant que la ruée vers l'or de 1849 ne marque la naissance anarchique des grandes villes et de l'État. Encore une fois, les premiers francophones arrivèrent dans le contexte du commerce des fourrures. Nous parlons des grands coureurs d'espaces que furent les Canadiens français et les Métis francophones. Évidemment, leur histoire est mal connue et elle fut souvent tronquée au profit des quelques formules passe-partout que l'on retrouve dans les résumés historiques propres à chaque État de l'Ouest américain. Par exemple, *these men were French.* Cette proposition générale, qui prétend tout dire en quatre mots, couvre une réalité plus complexe et certainement plus fascinante. Car, dans l'histoire des États-Unis, il y eut bel et bien une rencontre entre les Français et les Canadiens français. Elle eut lieu à Saint-Louis au Missouri, entre 1760 et 1840, soit une longue période de huit décennies. La fabuleuse famille Chouteau, originaire de La Nouvelle-Orléans, famille française qui, avec le jeune Pierre Laclède, fonda la ville de Saint-Louis en 1763, compte parmi les grands joueurs de la traite des fourrures dans l'Ouest américain. Les Chouteau s'associèrent avec les DeMun, une autre famille française de la Louisiane. Mais ce qui est absolument fascinant, c'est de retrouver parmi les compétiteurs de Chouteau-DeMun à Saint-Louis la compagnie de traite de Joseph Philibert, originaire de Montréal, et celle de la famille Robidoux, aussi originaire du Québec. De toute façon, la majorité des employés de Chouteau-DeMun étaient des coureurs de bois, chasseurs, trappeurs et pisteurs canadiens-français.

Pensons à Étienne Provost, l'homme des montagnes par excellence, qui patrouilla avant les Américains tout le territoire entre Taos au Nouveau-Mexique et le grand lac Salé en Utah, grand lac qu'il sera le premier à apercevoir. Provost, qui a donné son nom à la capitale de l'Utah, fut un grand personnage dans l'entreprise des Chouteau et dans l'histoire de l'Ouest. Mais l'homme ne savait ni lire ni écrire, il ne put donc promouvoir sa propre légende ; il ne fit pas non plus l'objet de récits héroïques et de bandes dessinées comme les Kit Carson et les Daniel Boone de ce monde. Si bien que Provost demeura simplement *another Frenchman* dans la mémoire du Far West. Il n'y a rien à dire de plus sur lui ou sur François Laramée, Pierre Lespérance, Pierre Ménard, Antoine Robidoux ou Toussaint et Jean Baptiste Charbonneau. Pourtant, à cette époque, sur cinq trappeurs, traiteurs et explorateurs dans l'univers inconnu de l'Ouest, quatre étaient des Canadiens français. Ils furent quelques milliers à vivre la découverte de ces pays fabuleux.

Ce sont ces hommes de la piste qui débouchèrent en Californie à partir de 1820. Jean Baptiste Eugène Laframboise, originaire de Varennes au Québec, arriva en Oregon dès 1811 à bord du *Tonquin,* un navire commandé par le capitaine Thorn. Pour le compte de John Jacob Astor, le grand patron de la Pacific Fur Company, le voilier était parti de New York en direction de l'embouchure du fleuve Columbia, en doublant le cap Horn. Sa mission consistait à transporter hommes et matériel pour qu'on y construisît un poste de traite. On y retrouvait un fort contingent d'engagés canadiens-français, dont Gabriel Franchère, qui écrira brillamment les péripéties de cette grande aventure. Quant au jeune Laframboise, qui accompagnait son père Michel, il n'avait que quatorze ans. Le *Tonquin* débarqua les hommes avec armes et bagages sur le site du futur poste Astoria et, pour augmenter son profit, prit la direction de l'île de Vancouver afin d'y faire la traite des fourrures avec les Nootkas. Le père du jeune Laframboise était du voyage, parmi d'autres employés de la Pacific Fur Company. Il laissa son jeune fils à Astoria avec le gros de la troupe. Le voyage du *Tonquin* tourna à la tragédie ; Jean Baptiste Eugène n'allait plus revoir son père. Car là-bas, sur l'île de Vancouver, les échanges avec les Indiens s'envenimèrent à tel point que ces derniers attaquèrent l'équipage, en massacrèrent tous les membres et firent exploser le voilier.

Le jeune Laframboise demeura donc à Astoria et adopta le prénom de son père, Michel. L'Oregon et la Californie allaient devenir sa nouvelle patrie. Les hommes qui avaient voyagé sur le *Tonquin* et qui construisirent les installations d'Astoria furent rejoints par un autre groupe venu de Saint-Louis par voie terrestre. Cette troupe avait emprunté la longue piste traversant les Rocheuses ; il s'agissait de l'expédition Hunt, composée d'employés de John Jacob Astor, des Canadiens français pour la plupart. C'est ainsi que, de 1811 à 1850, de nombreux francophones se mirent à explorer le vaste territoire allant de la Californie jusqu'à la future Colombie-Britannique. Dès 1821, le coureur de bois Louis Pichette traversait les montagnes en provenance de l'Oregon et débouchait dans la région de Yerba Buena (San Francisco), une route qu'allait emprunter Laframboise pendant plusieurs années pour le compte de la Pacific Fur Company de New York, de la Northwest Company de Montréal et de la Hudson Bay Company de Londres, successivement. Michel Laframboise devint en effet un chef de brigade extrêmement efficace, responsable des territoires du nord de la Californie. Lui et ses hommes, accompagnés de leurs femmes et de leurs familles amérindiennes, exploitaient les fourrures de la vallée de la Sacramento et de la rivière Umpqua. Ils rapportaient des quantités phénoménales de peaux de castors et de loutres à Fort Vancouver sur le fleuve Columbia, là où se trouvait le centre opérationnel de la HBC en Oregon. Michel Laframboise était reconnu comme le capitaine de la piste Siskiyou, ce chemin qui deviendrait plus tard l'autoroute entre l'Oregon et San Francisco. Au nord de San Francisco, il fonda un poste de traite fort fréquenté, un endroit que les Mexicains appelleraient *El Rancho del Campo de los Franceses.* Les Américains, plus courtement, diraient le *French Post.* Et ils baptiseraient Laframboise *Old Man Raspberry.*

Le destin de Laframboise croise celui de John Auguste Sutter, entrepreneur suisse qui émigra aux États-Unis muni d'un passeport français. Arrivé à New York, Sutter suivit les routes traditionnelles si familières aux Canadiens français. Il quitta la côte atlantique pour rejoindre Saint-Louis au Missouri. De là, il se rendit en Oregon, alors sous le contrôle de John McLoughlin, le directeur du territoire pour la Hudson Bay Company. L'itinéraire de Sutter allait bientôt le mener dans le nord de la Californie. Francophile, Sutter fut bien servi. À Saint-Louis, la langue française était encore en usage lors de son séjour. En Oregon, John McLoughlin, originaire de Rivière-du-Loup au Québec, était francophone et la langue de travail de la majorité de ses employés était le français. John Sutter allait devenir l'homme le plus riche du nord de la Californie en fondant la ville de Sacramento, qu'il nomma d'abord Nouvelle-Helvétie. Sutter craignait la présence de la troupe de Michel Laframboise dans les parages de Sacramento. Il écrivit en français à un correspondant : « J'ai défendu à Laframboise à pêcher le Castor mais malgré cela il fait tout ce qui lui plait [...] Ils font ce qu'ils veulent parce qu'ils sont cette fois 60 hommes, et cela est assez pour ruiner le Castor tout à fait ; parce qu'ils sont si forts, ils font ce qu'ils veulent et ne respectent pas du tout les Ordres du gouvernement et je peux vous assurer que mes Vaches sont en grand Danger car avec ces 60 hommes il y a au moins 40 femmes et une quantité d'enfants et des chiens et tout cela veut manger. »

Lors de la conquête de la Californie par les Américains, en 1846, Sutter voulut hisser le drapeau français dans sa Nouvelle-Helvétie (Sacramento) et se plaça symboliquement sous la protection du gouvernement français. Le geste était dérisoire, mais quand même révélateur. En ces années-là, l'esprit français régnait fort dans l'air californien. Sutter avait peut-être discuté de l'affaire avec Jean Charles Frémont, conquérant américain de la Californie et premier gouverneur de l'État, ce fameux Frémont qui était d'origine à la fois canadienne-française et française et qui allait se présenter à la présidence des États-Unis en 1856, sous la bannière républicaine.

La rencontre entre les Français et les Canadiens français a connu d'autres épisodes étonnants. En 1850, Edmond de Massey, membre d'une expédition scientifique, s'intéressa à la langue et à la culture des Canadiens français de l'Oregon et de la Californie, ces curieux représentants de la Nouvelle-France, valeureux aventuriers de l'Amérique, isolés de la France depuis des siècles, mais qui parlaient toujours la langue de leurs ancêtres – ou quelque chose s'en approchant ! Il se rendit dans les montagnes rencontrer un vieux et célèbre coureur de bois, Joseph Gervais, une légende vivante de l'Oregon qui venait souvent avec ses gens camper au nord de Yerba Buena. Combien fabuleuse dut être cette rencontre entre un lettré de France et un vieux Canadien analphabète, venu en Oregon en 1811 avec l'expédition Hunt pour y vivre toute une vie de voyageur et de pisteur, avant de prendre sa retraite sur une terre de la *French Prairie,* dans la magnifique vallée de la Willamette, où il mourut presque centenaire, en 1861, dans la maison de monsieur Mongrain et de madame LaFantaisie.

Ces histoires défilent, les unes après les autres, qui nous étonnent et nous émerveillent. François-Xavier Aubry, originaire du rang Trompe-Souris du village de Saint-Justin dans la province de Québec, se rendit très jeune à Saint-Louis, en 1840. Il y apprit le métier de commerçant et devint grand convoyeur sur la piste de Santa Fe. Toujours à l'affût de nouvelles routes, il découvrit la piste de la Californie via Albuquerque, piste qu'allait suivre le tracé du fameux Santa Fe Railway. Aubry fit un commerce d'envergure entre Santa Fe et la côte californienne, il est reconnu pour avoir conduit un troupeau de cinquante mille moutons du Nouveau-Mexique jusqu'à San Francisco où il les vendit à la pièce ; son génie du transport et du commerce de détail fit de lui un homme très riche. Illustre dans tout l'Ouest, archétype des grands cavaliers, connu nationalement pour avoir parcouru à cheval la distance entre Santa Fe et Independence au Missouri en un temps record, il fut assassiné à Santa Fe en 1854 par un Américain jaloux de ses succès. Il n'avait que trente-quatre ans. Le drame s'est déroulé dans la taverne des frères Mercure, originaires de la ville de Québec.

Sous la rubrique des grands hors-la-loi, nous retrouvons encore l'esprit français et canadien dans le personnage de Jean-Baptiste Chalifoux. Né à Québec, il passa comme les autres par Saint-Louis avant de se faire bandit dans le Nouveau-Mexique. En 1840, il était le chef redouté des Chaguanosos, une bande d'une centaine de desperados mexicains, canadiens-français, shawnees, delawares, iroquois, métis, utes et comanches. La bande multiculturelle volait de grandes quantités de chevaux et de bétail. Les Chaguanosos de Chalifoux furent mercenaires en Californie pendant plusieurs années pour le service du gouvernement mexicain. On les craignait comme la peste. Durant toute sa vie, qui fut longue, Jean-Baptiste n'a jamais prononcé un mot d'anglais.

Autre histoire. Damien Marchessault est né à Saint-Antoine-sur-Richelieu en 1818. Il quitta la province de Québec pour La Nouvelle-Orléans, où il fut en mesure d'exercer son génie des affaires. Malheureusement, il buvait beaucoup et jouait de manière compulsive. Le coût de ses frasques dépassait le fruit de son travail. Il quitta la Louisiane, probablement ruiné, pour s'établir à Los Angeles vers 1850. Une fois encore, il devint riche, une fois encore il reprit ses habitudes du jeu et de la boisson. Personnage très en vue, il fut maire de la ville de Los Angeles à deux reprises. Mais ses dettes et son alcoolisme vinrent à bout de lui. À l'âge de cinquante ans, le 20 janvier 1868, à sept heures du matin, il se suicida à l'hôtel de ville, laissant une lettre à sa femme dans laquelle il exprimait clairement son incapacité à vivre. Un autre Canadien français, Prudent Beaudry, fit faillite et fortune au moins cinq fois à Los Angeles. Très estimé de ses concitoyens, il fut élu maire de la ville en 1874, alors même que son frère était maire de Montréal. Avec ses nombreux amis français, Prudent Beaudry brassa de grosses affaires dans le domaine des aqueducs, des mines et de l'immobilier. À San Francisco, un autre de ses frères, Victor, fit fortune dans les mines avant de s'expatrier en Amérique du Sud.

La Californie est sainte, comme le Canada français. Elle ne nous fut jamais étrangère, comme si son soleil nous était familier, comme si ses routes nous étaient connues. Nos coureurs de bois ont trappé le castor jusque dans les forêts de la vallée de Sacramento, ils ont cherché de l'or jusqu'à San Francisco, ils ont ouvert des pistes dans les déserts, ils furent de toutes les histoires depuis la fondation de Los Angeles. Nous fûmes californiens avant même l'arrivée des Américains. Mais nous avons le cinéma si triste, nos scénarios tournent court. On a tellement voulu nous faire croire que notre aventure culminait au Long-Sault avec Dollard Des Ormeaux que nous avons complètement occulté les tribulations des nôtres à l'échelle du continent.

Notre Amérique ne nous fut jamais racontée et tout ce que nos grands aventuriers réalisèrent dans l'Ouest ne compte pour rien dans notre mémoire, encore moins dans celle des autres. Comme s'il nous était interdit de rêver, comme si tout cela ne pouvait tout simplement pas avoir été. Et je me demande, en vain : que reste-t-il des diligences et des charrettes de monsieur Nadeau, premier transporteur régulier entre Los Angeles et San Francisco ? Où sont passés les cinq mille moutons de monsieur Aubry ? Que reste-t-il du vieux Laframboise au pays de la « bonne herbe », Yerba Buena, que retenons-nous de ses pistes et de ses voyages sur la rivière Umpqua, dans la vallée de la Sacramento ?

Même au pays des héros, l'herbe est toujours plus verte chez le voisin.

Faribault, Minnesota

L'ancien premier ministre du Canada, dans une de ses tentatives pathétiques pour inventer la fausse histoire d'un pays en mal de gloire, fêtait en 2015 le 200e anniversaire de naissance de John A. Macdonald. Voilà un geste malheureux, une insulte à l'intelligence, je dirais même un faux pas. S'il existe un personnage indigne dans l'histoire du Canada, c'est bien cet avocat corrompu, ce politicien raciste qui fut la honte de ses contemporains, un homme sans compassion et sans principes, un voyou en cravate qui eût été sanctionné en des temps moins laxistes. Nous sommes loin des Thomas Jefferson de ce monde, loin des vues politiciennes élevées et des idées éclairées. Le gouvernement fédéral aura beau signer des campagnes publicitaires faisant l'éloge des Pères de la Confédération, ces « grands hommes » visionnaires et désintéressés qui seraient transportés de satisfaction s'ils voyaient le Canada d'aujourd'hui, personne n'achètera jamais cette distorsion grossière de l'histoire.

La Confédération canadienne de 1867 fut le fait d'une assemblée de développeurs véreux qui cherchaient fortune dans des échafaudages de complots immobiliers et de fraudes économiques réalisés à une échelle qui dépasse l'imagination. Le Canada ne résulte pas d'un grand principe ou d'un élan révolutionnaire. Il a surgi par défaut, par défaut d'idées justement, en face des Américains brillamment affranchis de la vieille Europe. Si les États-Unis ont pris souche à Philadelphie, Boston et Washington, le Canada, lui, est né à Londres, où des hommes serviles et opportunistes allaient tirer profit de deux gigantesques scandales. De fait, quelque deux ans après la création du pays, le gouvernement fédéral procédait à une transaction éminemment suspecte : il achetait la Terre de Rupert et le Territoire du Nord-Ouest, propriétés foncières de la Compagnie de la Baie d'Hudson et de la Grande-Bretagne – on parle du plus gros holding terrien de l'histoire, soit un tiers de l'Amérique du Nord – sans consulter le moindrement les habitants de ces vastes espaces, soit 100 000 autochtones installés là depuis des milliers d'années. Cette transaction barbare et brutale allait enrichir une caste britannique de notables intrigants, mais surtout, elle allait entraîner le grand malheur des Métis et des Premières Nations. Elle ouvrait aussi la voie à une magouille plus importante encore : le projet du Canadien Pacifique. Ce chemin de fer fut le plus grand crime économique de notre histoire. Spéculation foncière, patronage, pots-de-vin… On connaît la chanson.

Cependant, le pire des héritages de Macdonald, c'est le racisme : la répression des Métis, des Cris, des Saulteux-Ojibwés et des Assiniboines dans le Nord-Ouest en 1885, la pendaison de Louis Riel et des rebelles cris, la Loi sur les Indiens, les traités frauduleux et non respectés, les réserves indiennes, les politiques pour éradiquer l'indianité – faire mourir les langues et les nations, les mémoires et les cultures amérindiennes –, la loi pour empêcher les Chinois et les Noirs de voter aux élections, l'affirmation explicite de la supériorité de la race aryenne au Canada, le sentiment antifrancophone, la promotion des idéologies radicales des orangistes… Dit autrement, l'étroitesse, la petitesse et la mesquinerie d'un homme de fort mauvais esprit. Go, Canada, go !

Les biographes font dans l'hagiographie quand il s'agit de sauver la face de ce personnage odieux ; on l'excuse en disant qu'il épousait les idées de son époque. Mais cela ne tient pas la route, cette défense est carrément irrecevable. Au temps de John A. Macdonald, il y avait des gens honnêtes, de grands humanistes, des Noirs qui luttaient pour la liberté et l'égalité, des Amérindiens qui dénonçaient l'injustice des traités, des femmes qui militaient pour les droits des femmes, des libres-penseurs qui s'insurgeaient contre les abus de pouvoir, des visionnaires qui voyaient dans le métissage biologique et culturel l'avenir de l'humanité. Il y avait même des alcooliques sympathiques. Ce que n'était pas Sir John. Difficile en effet de glorifier un malotru qui vociférait sa haine raciale en public lorsqu'il avait trop bu, ce qui arrivait souvent. D'ailleurs, avait-il toute sa tête, notre éminent premier ministre, lorsqu'il déclara en pleine Chambre des communes qu'il n'était pas sain que les races aryennes se fusionnent aux autres, tout comme « le croisement d'un chien et d'un renard n'est pas réalisable, il ne peut être et ne sera jamais » ? C'est à ce raciste méprisable qu'on veut donner le titre de père du Canada moderne.

* * *

Or, en voici une, en sa mémoire et en son déshonneur, une belle histoire de Chiens et de Renards. Jean-Baptiste Faribault est né à Berthier, au Bas-Canada, en 1775. Fils de notaire, il reçut une belle éducation. Son père le destinait au monde des affaires, mais le jeune Jean-Baptiste rêvait plutôt de devenir marin et de faire le tour du monde. Il pratiqua le commerce jusqu'en 1799, se conformant aux ambitions paternelles, puis, trouvant le moyen de satisfaire sa soif d'aventure tout en faisant de bonnes affaires, il prit la route de l'ouest, celle des Pays-d'en-Haut : il allait se lancer dans la traite des fourrures. Il travailla d'abord pour la Compagnie du Nord-Ouest des Écossais de Montréal, ensuite il devint traiteur indépendant dans le grand Ohio, opérant parfois avec l'American Fur Company. Il transita par le poste de Michillimakinac avant de se retrouver au portage Chicagou (Kankakee) durant les années 1800, ces temps glorieux de l'expédition de Meriwether Lewis et de William Clark. À Chicago, il se familiarisa avec la culture des Potaouatomis et apprit leur langue, qui est de souche algonquienne. Il fraternisa aussi avec les Sacs, les Miamis et les Outagamis. À cette époque, il a certainement connu les familles Viau, Grignon, Beaubien et Langlade, représentantes des grands clans métis de l'Illinois et du Wisconsin, chacune appartenant à un réseau complexe de mariages au sein de toutes les nations amérindiennes de ce coin de pays.

Vers 1810, on retrouve Jean-Baptiste à Prairie du Chien, parmi les Ojibwés, mais aussi parmi les Sioux ouinibagos (Dakotas medawanktons). Ajoutant des cordes à son arc multiculturel, il apprend à parler la langue sioux et il la parle très bien. Il épouse une femme de la nation, une Métisse nommée Pélagie Ainse, avec laquelle il aura huit enfants métis. À cette époque, ses relations avec les Ouinibagos lui assurant un bel avantage sur ses concurrents américains, ses affaires sont prospères. En plus de faire la traite des fourrures dans les hautes terres du Mississippi, il est associé avec Julien Dubuque dans le commerce du plomb sur le marché de Saint-Louis. La guerre de 1812 vient perturber ses opérations. Il refuse de rallier les forces britanniques, préférant rester dans le camp des Américains. La paix revenue, il s'établit encore plus à l'ouest, à Mendota, dans ce territoire qui va devenir l'État du Minnesota, sur le site de la future ville de Saint-Paul.

Jean-Baptiste Faribault est à présent un illustre citoyen, riche et respecté, un homme éduqué qui parle français, anglais, algonquin, sioux, et qui fréquente aussi bien Dieu que Manitou et Wakan-Tanka. Il sera le patriarche d'une grande lignée métisse dans l'Ouest. Son fils Alexandre, un bel homme au teint foncé, se mariera comme son père avec une femme sioux et deviendra un homme politique éminent dans le pays. Crédible auprès des Américains comme auprès des Sioux, il sera interprète et négociateur de paix. Il fondera une ville, Faribault, à quatre-vingts kilomètres au sud de Minneapolis–Saint-Paul.

J'ai devant moi une photographie incroyable de cette famille : le père, le fils, le petit-fils, l'histoire en une seule image d'un Canadien français qui se transforme en Sioux, et ce Sioux engendrera, une génération plus tard, les traits d'une toute nouvelle nation. La photo date de 1850, on y aperçoit Jean-Baptiste Faribault, l'aïeul, alors âgé de soixante-quinze ans. Voici donc un homme du XVIIIe siècle, un explorateur, un passeur culturel, un créateur de mondes qui avait probablement connu le coureur de bois Beaudette, lequel donna aussi son nom à une petite ville du Minnesota. Ce Beaudette avait-il déjà pris un verre de whisky à la taverne de Pierre Parent, le borgne dit Œil de cochon, dont le sobriquet avait inspiré le nom d'un trou perdu au confluent de la rivière Minnesota et du fleuve Mississippi : Pig's Eye, qu'un prêtre catholique, par souci de morale chrétienne, allait rebaptiser Saint-Paul ? Et que dire de tous ces toponymes, le lac Qui Parle, le lac Pépin, le comté de Mille Lacs, la traverse des Sioux, la rivière Roseau, la rivière Pomme de Terre, que dire de tout l'héritage franco-canadien du Minnesota d'aujourd'hui ? *Minnesota* est un mot sioux-lakota qui se traduit par « le petit brouillard blanc qui monte de la rivière ». C'est la mémoire des hommes libres, les fantômes de tous ces esprits entreprenants, c'est leur soif d'aventure qui s'évapore dans l'air du temps.

Le destin des Faribault a croisé celui des Sioux lakotas, il a croisé aussi celui des Noirs américains, esclaves et affranchis. Le vieux Faribault a certainement connu Jean-Baptiste Pointe du Sable, le fier mulâtre francophone, fils d'un Canadien français et d'une femme originaire de Saint-Domingue, qui fonda Chicago. Et peut-être aussi George Bonga, le Noir libre et fort éduqué qui avait vécu à Montréal et qui fut une figure légendaire dans la traite des fourrures parmi les Ojibwés du Wisconsin et du Minnesota. Il a sans doute vu passer la plupart des premiers colons francophones de la région, les Hippolyte Dupuis, Joseph Laflèche, Henri Picotte, Toussaint Charbonneau, peut-être même Gabriel Franchère ? Allez savoir. Tous mes amis camionneurs qui sillonnez les routes du Minnesota, rappelez-vous que la devise de cet État américain est *L'Étoile du Nord*, en français sur le blason.

* * *

John A. Macdonald détestait tous les Faribault de ce monde. Leur descendance résultait à ses yeux d'un croisement entre des chiens et des renards. Il les méprisait et souhaitait les voir disparaître de la surface de la terre au profit de bons colons blancs, protestants et anglophones. Contre le rêve aryen de ce triste sire se dressaient les histoires de tous ces précurseurs de l'Ouest, du Minnesota à la Saskatchewan, en passant par le Dakota, et de Saint-Boniface à Edmonton, et de la Colombie-Britannique jusqu'au grand Oregon, l'écho de leurs chants résonnant le long du beau fleuve Columbia. Cent cinquante ans plus tard, notre premier ministre Stephen Harper, digne successeur de Macdonald, était loin de retenir cette mémoire, encore plus de la célébrer. Son Canada ne reconnaît ni les luttes ni l'apport de gens comme Piapot, Gros-Ours, Esprit Errant ou Poundmaker ; son Canada ne célèbre pas Gabriel Dumont, Marie-Anne Gaboury, Thanadelthur, François Beaulieu ou James Douglas ; et quelle place faisait-il aux Siksikas, aux Assiniboines, aux Cris, aux Koutenays, aux Dénés du Nord ? Cette mémoire, il fallait l'effacer, comme il fallait effacer l'existence même de ces mondes métis et sauvages que la bonne société ne pouvait accepter.

Je ne sais pas pourquoi, mais quand il s'agit de me réjouir de notre histoire, je préfère Faribault, Minnesota à tous les Kingston et autres Regina et Victoria de monsieur Macdonald.

Le plaidoyer du vieux Wampanoag

C'est Massasoit, le vieux sage de la nation wampanoag, qui disait aux pèlerins anglais que la terre ne se vendait pas, ne se louait pas, ne se transigeait pas. En un mot, ce vieil homme de tradition armouchiquoise (nom donné aux Abénakis par les premiers jésuites) ne tenait pas en haute estime les agents immobiliers. Mais comment aurait-il pu savoir, en cette année 1620, qu'en aidant les pèlerins à survivre sur ce point de la côte américaine qui allait devenir Plymouth, il accueillait l'esprit même du capitalisme ? Ces protestants tout habillés de noir et de gris ne débarquaient pas dans le Nouveau Monde pour en admirer la nature : ils y venaient pour la mettre en valeur, cette nature, la déflorer et, littéralement, la dénaturer. Ils désiraient « faire de la terre » pour mieux la posséder et éventuellement spéculer sur la valeur de chaque acre, de chaque pied carré. Ils plantaient la graine d'une contamination universelle, le cancer de la croissance, la logique du profit, l'avidité érigée en valeur suprême.

Alors que ces Anglais désespérés, conformément aux directives de leur dieu, défrichaient de l'étoile du matin jusqu'à l'étoile du soir, les Wampanoags, les Massachusets, les Péquots et autres nations du Wabanaki – « le pays de l'aube » – tentèrent de leur faire entendre raison, à peu près en ces termes : « Vous abattez des arbres qui ne vous appartiennent pas, et parmi ceux-là des arbres tutélaires, des arbres emblématiques, des monuments mythiques irremplaçables. Vous labourez une terre qui n'est pas la vôtre. Jusqu'où détruirez-vous la forêt nourricière, le temple de la vie, le jardin sacré de la chasse ? » Les pèlerins n'étaient pas méchants, du moins ne le furent-ils pas sur-le-champ. Ils se réunirent afin d'élaborer une proposition *honnête* à l'intention de ces objecteurs au progrès représentés par des chefs algonquiens trop préhistoriques pour seulement comprendre la notion de profit. N'était-ce pas honnête : ils allaient leur acheter leurs forêts ! Le pays était si immense, si sauvage… Les nations qui se départiraient de leurs territoires pourraient se refaire une vie ailleurs, au-delà de la « frontière » ! Car, on le comprendra, les pèlerins avaient vite fait d'établir la différence entre le paysage civilisé, transformé, cultivé, et le désert sauvage étalé à l'infini, traçant entre les deux une ligne imaginaire qui allait devenir une référence pour de nombreuses générations. Le désert commençait à la limite du dernier champ défriché ; au-delà, la sombre forêt virginale abritait des sociétés non organisées, composées de pauvres païens errant à l'aventure, comme des bêtes, dans le chaos de ces grands espaces abandonnés de Dieu.

La terre vierge, par définition, ne produisait rien, donc ne valait pas grand-chose. Quoi de plus profitable que d'acheter des territoires immenses ne valant pratiquement rien à des sociétés incultes qui n'avaient pas le moindre sens de la valeur des choses ? Le sens *des valeurs,* par contre, ces sociétés prétendument primitives l'avaient fort. L'offre d'achat déposée par les pèlerins choqua irrémédiablement Massasoit, le sage Wampanoag. « Qu'ils aillent au diable, ces marchands maudits qui ne parlent qu'en acres et arpents, qui ne savent que rédiger des titres et ériger des clôtures ! » C'était insulter la Terre mère que de la mesurer, l'évaluer, la réduire à une valeur numérique. Quelle idée saugrenue que de mettre un chiffre sur la tête de la mère d'entre toutes les mères ! Qu'il était indécent et blasphématoire de s'en déclarer propriétaire ! « La terre n'appartient à personne ; c'est nous qui lui appartenons. Nous, ses fils et ses filles, les enfants de la lune, les frères des animaux. Nous faisons corps avec cette Nature. Oui, nous comptons le temps en suivant les phases lunaires, nos réunions se tiennent de nuit, nous avons la poésie dans le sang. La beauté du monde n'a pas de prix. »

Ayant dit ce qu'il avait à dire, ayant enregistré son plaidoyer au tribunal de l'histoire, le vieil homme, au nom de son peuple, mais aussi au nom des Sacos, des Penobscots, des Pantuckets et de tous les autres Algonquiens de la côte, mit en demeure les Anglais de ne plus couper un seul arbre et de ne plus insulter la Nature. En prenant une telle position, Massasoit réfutait l'argument d'un Dieu valorisant essentiellement la souffrance et le travail, l'argent et l'économie, et pour qui la vie humaine se résumait à faire fructifier un bien au sein d'une âpre course aux profits. Pauvre vieux Wampanoag ! Son plaidoyer contre l'impolitesse capitaliste était pathétique de naïveté ! Le démon de l'avidité était dans la chaloupe des pèlerins et lui ne l'avait pas vu. Il n'avait pas vu ce démon laborieux débarquer sous le déguisement d'un humble cultivateur criant famine. Massasoit et ses gens aidèrent les nouveaux venus à traverser le premier hiver, ils les nourrirent et leur apprirent à chasser, à pêcher, à cultiver le maïs ; en retour, dès la première récolte, les pèlerins leur témoignèrent leur reconnaissance autour d'un grand festin, inaugurant en Amérique la tradition du Thanksgiving. Or, nous le savons, il n'y a pas de partage possible avec le diable. Les pèlerins ne pouvaient pas entendre le plaidoyer de Massasoit. Ils étaient étrangers à pareil discours, eux qui appartenaient à un monde ayant depuis longtemps renié la Nature. Les Européens avaient renversé la Terre mère, cette déesse sauvage de la fécondité, ils avaient nié sa sacralité, ignoré sa poésie et sa beauté, condamné ses courses orgiaques, pour la remplacer par un Dieu austère et prude qui martelait ses commandements : « Allez, multipliez-vous, déboisez ces déserts, labourez cette terre, transformez-la pour votre profit, mettez-la en valeur pour votre propre salut, travaillez, travaillez jusqu'à ce que mort s'ensuive ! »

L'offre d'achat faite par les Anglais aux Algonquiens fut rejetée, et le plaidoyer de Massasoit, ridiculisé. La violence du capitalisme est sans limites quand on menace de le brider. C'est ainsi que les guerres commencent, les guerres les plus sales et les plus vicieuses. À la fin du mois de mai 1637, les Anglais anéantirent un village péquot sur la rivière Mystic. Les guerriers-chasseurs étant absents, les victimes furent surtout des femmes et des enfants. Les versions varient, mais on estime le bilan final à environ cinq cents morts. À partir de ce drame, le malentendu allait se poursuivre et les tragédies se multiplier. Jusqu'au 29 décembre 1890 à Wounded Knee, où cent cinquante Sioux miniconjous tombèrent sous les balles de l'armée américaine, la majorité des victimes étant encore des femmes et des enfants. Sur une période de plus de trois cents ans, combien de peuples amérindiens furent ainsi massacrés dans la foulée de ce grand processus historique de désacralisation de la Nature ?

Alexis de Tocqueville a décrit l'Amérique précolombienne comme un trésor latent, un désert sauvage gardé par des Indiens qui n'avaient pas su mettre en valeur ses ressources endormies. Les Indiens avaient été des gardiens de nuit, ils avaient conservé la nature pour mieux la remettre, le moment venu, aux peuples civilisés et aux élus de Dieu. L'Amérique attendait ses vrais entrepreneurs depuis la nuit des temps. D'ailleurs, sur cette terre, tout a toujours attendu son entrepreneur, des pingouins empereurs de l'Antarctique jusqu'aux renards du Nord. Elle est forte, cette idée qui plonge ses racines dans les grandes religions monothéistes, dont la chrétienne : combien triste un fleuve qui coule en vain, une chute qui chute pour rien, un arbre millénaire que l'on ne coupe pas, qui ne sera pas transporté au moulin, qui ne sera pas transformé en bâtonnets pour brasser le café ! Combien absurde un chameau qui ne charrie pas, un âne qui flâne, un orignal qui meurt de vieillesse !

Le capitalisme était bien une religion : il était aveugle comme la foi, il était spirituel comme un commandement divin, il était envahissant, il cherchait à convertir, c'est-à-dire à changer le cours de la Nature pour mieux régir le cours de l'Histoire. Tout doit servir, tout doit être mis en valeur. Si tu découvres des séquoias ou des pins deux fois millénaires, saute sur ta scie, fais claquer tes haches, fais tomber ces géants. Si tu vois une belle rivière, détourne-la pour profiter de sa force. L'échelle humaine a désormais la manie des grandeurs, elle est haute et grande, comme la Nature qu'elle imite et à laquelle elle se substitue. L'échelle humaine est devenue une grande échelle. *Small is maybe beautiful, but beautiful is not our concern.* Nous voulions la mettre à notre main, cette Nature sauvage, rebelle, inutile, prodigue mais si sottement dispersée. Or voilà que nous y sommes parvenus. Avant de tuer Dieu, nous avions tué la terre et la beauté de la terre. À présent, il ne reste plus que nous, seuls au bout de notre grande échelle, suspendus dans le vide, ne sachant pas sur quel pied nous allons retomber, mais chargés et surchargés de nos affaires et produits, machines et technologies, déchets et énergies, condamnés à monter plus haut encore, le pas mal assuré, le dos lourd.

On ne peut pas s'emparer de toutes les richesses du monde sans heurter quelques sensibilités. En 1890, le progrès ne faisait aucun doute et le rêve des pèlerins se réalisait dans toute sa splendeur : on avait fait rendre à l'Amérique ce que l'Amérique avait dans le ventre, des arbres et des minéraux, de l'eau et de la terre, des pâturages, du pétrole, du charbon. Puis vint le règne du fer et de l'acier, des automobiles, de l'asphalte et du béton, des villes et des barrages, vint l'*American way of life* dans son indéniable efficacité. Une richesse considérable fut créée et le Nouveau-Monde fut chiffré en termes de croissance, de production, de consommation, de capitalisation. Comme Dieu l'avait demandé – un Dieu qui est encore là, très présent, dans l'idéologie américaine. Ce grand trésor virtuel dont parlait Tocqueville a finalement livré sa valeur en espèces sonnantes et trébuchantes.

Si Massasoit revenait au monde, il ne serait pas surpris une seconde par ce qu'il aurait sous les yeux. Conformément aux intentions premières, nous avons tout cultivé, tout modifié, tout aménagé. Nous avons mangé la forêt, désacralisé les montagnes, irrigué les déserts, asséché les marécages, détourné le cours des rivières, raclé le fond des mers, violé l'intimité de tous les êtres vivants. Ce qu'il reste de la Nature est devenu un terrain de jeu extrême, une piste de boue pour les véhicules tout-terrain, un cran rocheux pour l'escalade, des sommets pour le ski. Aujourd'hui, les loups se rapprochent du grand *selfie* de l'humanité. Les animaux sauvages se conforment aux attentes de nos technologies, ils regardent les caméras, ils viennent renifler les antennes, ils affichent des comportements étonnants.

Massasoit craignait en 1620 que la terre finisse dans une grande désolation. Sa naïveté apparente était en fait une prophétie. Imaginez-le à la conférence de Paris sur le climat, en décembre 2015. Sorti des limbes du passé, il s'avance à la tribune et se penche vers le micro : « Des chiffres, des chiffres, encore des chiffres ! Un virgule cinq... deux degrés, cent milliards de dollars, des plans, des objectifs. Vous ne songez qu'à acheter du temps. Je vous l'avais pourtant dit : la terre n'est pas à vendre. Et j'ajouterai aujourd'hui : son espérance de vie n'est pas à négocier.

Ouigoudi sur la rivière clinquante

suivi de La beauté mandane

M'entendez-vous marmonner, assis dans mon fauteuil, m'entendez-vous raconter une histoire dans des mots anciens que personne n'entend…

Un peuple occupait le bassin d'un fleuve qu'il appelait *Ouolostoq*, ce qui signifie « la belle rivière clinquante ». Ce peuple se désignait lui-même par le terme *Ouolostoqiuks*, autant dire « les gens de la belle rivière clinquante ». Ils vivaient nombreux, nomades, grands voyageurs des riches forêts appalachiennes, tuant le caribou des bois dans les sommets, l'orignal noir dans les mares et les marais, le loup-marin dans les baies de la mer, le castor dans les rus et les ruisseaux, et l'ours baribal. Ils pêchaient le saumon et la morue en été, et les poissons d'eau douce sous la glace en hiver. Ils mangeaient des canards, des outardes, des œufs, ils ramassaient des coquillages et des moules, mais aussi des fruits et des noix. Beau menu en vérité. Nous parlons d'un peuple prospère dont les gens, une fois repus, fumaient du bon tabac. Leurs canots étaient d'une efficacité redoutable pour sillonner ces réseaux de lacs et de rivières, et faciles à transporter dans les chapelets de portages pour passer d'un plan d'eau à un autre. Ils traversaient en huit jours, par la péninsule, la distance qui sépare la baie des Français à Ouigoudi (Saint John, Nouveau-Brunswick) de Tadoussac sur le Saint-Laurent. Voilà d'ailleurs l'ampleur de leur pays. Ils remontaient la « belle rivière clinquante », soit l'actuel fleuve Saint-Jean, empruntaient ses affluents, la Tobique et autres rivières, pour rejoindre sa source, le lac Témiscouata. Cette route faisait le pont entre le Maine et la baie des Chaleurs, allant jusqu'à déboucher sur la Côte-du-Sud au Québec. Canoteurs, marcheurs, raquetteurs, ils jouissaient de tous les bois et sous-bois des belles Appalaches du Nord.

Les Ouolostoqiuks étaient de la famille des Algonquiens, cousins et partenaires des Micmacs au nord-est, des nations abénakises au sud-est, des Innus au nord-ouest et des Algoumequins anishinabes au sud-ouest. Tous ces peuples se rencontraient lors de marchés internationaux, à Tadoussac, Matane, Kennebec et Ouigoudi. C'étaient toutes des nations amies, même si les Micmacs avaient parfois tendance à regarder les Ouolostoqiuks de haut, les appelant « ceux qui parlent la langue brisée », pour évoquer une forme dégradée du micmac classique. À partir des ardoises précieuses du lac Témiscouata, les Ouolostoqiuks fabriquaient des pointes de flèche d'une très grande qualité et des outils tranchants recherchés, qu'ils échangeaient avec leurs voisins, les Algonquiens comme les Iroquoiens, mais aussi avec leurs lointains alliés lors de ces grandes foires commerciales. On a retrouvé du chert témiscouatain dans des sites archéologiques labradoriens. Oui, les anciens Innus utilisaient des pointes malécites pour fabriquer leurs flèches. Mais on a aussi retrouvé des poteries iroquoiennes dans le pays de Ouolostoq, et les Ouolostoqiuks ajoutaient à leur diète déjà bien riche du maïs et des fèves qu'ils obtenaient de leurs voisins horticulteurs.

Nul ne saura jamais l'importance démographique des Ouolostoqiuks en l'an 1600, il semble qu'on ne les ait jamais dénombrés. Ce n'est que bien plus tard, après les maladies, après les guerres, après autant de spoliations et autant de misères, que les autorités se familiarisèrent avec la Ouolostoq, la Madaouaska, le beau lac Témiscouata. Hélas, trop tard : les autorités commencèrent à écrire que les Ouolostoqiuks formaient une petite nation dépourvue, déclinante, sans intérêt, mais surtout sans importance. À l'origine, les Français avaient appelé ce peuple les Eteminquois, devenu les Etchemins. Au fil du temps, ce mot disparut au profit d'un autre : les Malécites. D'une façon ou d'une autre, nous parlons toujours des Ouolostoqiuks, un peuple remarquable qui conserva longtemps son pays, sa langue et ses traditions. Ils étaient les gardiens des grands portages, ceux qui tenaient et entretenaient la route entre l'Acadie et Québec. En 1603, ils se trouvaient en visite chez les Innus de Tadoussac lorsque Champlain et Pont-Gravé les y rencontrèrent. Imaginez. Des Etchemins de Ouigoudi, dirigés par leur chef Ouagimou, lui-même ami du micmac Membertou, rencontraient les Innus montagnais d'Anadabidjou et les Kitchesipirinis algonquins de Tessouat dans la région de Tsheshagut (Tadoussac) au tournant du XVIIe siècle ! Voilà de quoi rafraîchir notre histoire du Canada. Car ce sont ces hommes, Ouagimou, Anadabidjou et Tessouat, qui engagèrent leur amitié auprès des représentants de Henri IV. Tout était lié : cette amitié fut déterminante pour les Français, qui allaient profiter largement de ces alliances précolombiennes, lesquelles influèrent tellement sur le cours de l'histoire nord-américaine.

Les Anciens, ces autres humains des temps jadis qui vécurent avant nous, qui firent ces routes et ces chemins, qui passèrent et repassèrent, ces ancêtres se sont transformés en fantômes dont plus personne n'entend la langue. Mais ils avaient du monde naturel une autre idée que la nôtre aujourd'hui. Ils avaient une connaissance fine de la topographie, de la géographie et de l'hydrographie de leur terre. Ils savaient ce qui était haut, ce qui était bas, ce qui était pentu, ce qui était plat ; ils reconnaissaient une côte, un « ha-ha », vieux terme désignant un mur-obstacle, ils reconnaissaient la richesse d'un milieu humide, la misère d'une zone ingrate, ils savaient les rapides et les chutes, les falaises plates, la force d'un courant, la pénombre d'une aulnaie. Ils savaient la forêt en son détail, les étangs et les lacs, la charge et la décharge, la direction de l'eau et toutes ses qualités. Ils pouvaient repérer les vallées, les coulées, les passages et les portages, car les ancêtres, contrairement à la croyance moderne, voyageaient beaucoup, et de façon bien plus intense que nous. Leur voyagement était intense parce que chaque kilomètre était un embarras.

Ils s'appellent Tremblay, Aquin, Launières, Noël, Saint-Aubin, Tomah, Polchie, Sacobie, Bear, Commander ou Nash, ce sont les Malécites d'aujourd'hui. Tout comme les Passamaquoddys et les Penobscots, nations sœurs, les Malécites étaient des Abénakis par la fesse gauche de l'histoire du Maine profond. Ils étaient un peu Micmacs, par la fesse droite du passé du grand Mégoumagé. Ils furent beaucoup Acadiens-Brayons, d'authentiques Madaouaskains. Ils furent très Canadiens français, certainement Américains. L'histoire a fait son œuvre, le métissage a fait le reste, ce fameux métissage qui nous interroge tant et sur lequel nous ne savons pas quoi dire tellement nous n'en avons jamais rien dit. L'amnésie nous coûte toujours cher. L'oubli des mots, des noms, des mondes. Il est malheureux que le Nouveau-Brunswick ne s'appelle pas l'Acadie, tout comme le fleuve Saint-Jean ne se nomme pas Ouolostoq, « la belle rivière clinquante », et que Saint John ne porte pas le beau nom de Ouigoudi.

Ces gens-là dont je parle et que plus personne ne raconte ont portagé jusqu'à s'arquer les jambes, ils ont marché sur les rochers, les canots sur le dos, les ballots en sus, certains sanglés et tenus par la tête et le front, ils se sont épuisés dans les montées, ils ont crié et sifflé dans les eaux blanches en descendant les rapides. Oui, les Ouolostoqiuks étaient les frères des Armouchiquois, ce furent les peuples souverains de ces Appalaches chevelues, toutes traversées de chemins, de ces sentiers parcourus, tellement parcourus que des âmes ouolostoqs y rôdent encore, de Notre-Dame-du-Portage dans le bas du fleuve jusqu'à la baie de Ouigoudi, sur les rives de l'Atlantique.

* * *

Et moi je parle tout seul, je m'étonne et m'emballe de ces choses remarquables…

Vous ai-je déjà entretenus de la beauté mandane, de la grande beauté des femmes mandanes ? Mais vous avez raison, d'abord qu'est-ce que la Mandanie ? Disons que ce fut longtemps un pays légendaire habité par un peuple mythique. Vers 1780, les explorateurs et les coureurs de bois avaient répandu le récit d'un peuple vivant aux portes des grandes prairies, des gens différents des autres Amérindiens. On disait qu'ils avaient la peau blanche, qu'ils portaient des robes en tissus fins… toutes sortes de détails qui portaient à croire qu'il ne s'agissait pas d'une société amérindienne classique. On a même pensé avoir retrouvé la fameuse tribu égarée d'Israël dont parle la Bible. La rumeur fut si forte qu'on monta de véritables explorations en vue de retrouver ce peuple. Mais en réalité, de quoi, de qui s'agissait-il ?

À l'endroit où le fleuve Missouri frôle au plus près la frontière canadienne, dans le Dakota, se trouvait le vrai pays des Mandans. En 1790, les explorateurs officiels qui écrivirent des journaux les appelèrent les Mandales ou encore les Mandanes. Depuis les temps précolombiens, les Mandans partageaient un même territoire avec les Hidatsas, dits aussi les Gros Ventres, d'après la rivière du même nom. Ce territoire s'étalait au centre de toutes les opérations d'échange et de circulation des marchandises dans cette partie de l'Amérique. Du fait de leur position géohydrographique, les Mandans et les Hidatsas étaient de grands commerçants. Par le Missouri, ils avaient des contacts avec toutes les nations qui occupaient l'espace entre la Grande Courbe, pays des Mandans, et sa jonction avec le Mississippi, pays des Illinois, soit une distance de 1 300 milles de territoire. Arikaras, Omahas, Osages, Otoes, Poncas, Sioux yanktons, tous faisaient affaire avec les Mandans et les Hidatsas. Par le nord, en passant par la rivière La Souris, ils étaient en relation fréquente avec les peuples de la rivière Qu'Appelle, de la rivière Assiniboine, de la région du lac Manitou-Ban, de celle du grand lac Ouinipique, de toute la vallée de la rivière de l'Ocre (rivière Rouge), bref, du sud du Manitoba et de la Saskatchewan d'aujourd'hui. Ils connaissaient bien les Assiniboines, les Saulteux des Plaines, surnommés les Pilleurs, et les Cris de la Prairie.

Mandans et Hidatsas appartenaient à la grande famille culturelle des peuples lakotas-sioux. Ils vivaient ensemble, mais pas tout à fait : les Mandans occupaient la rive sud du Missouri, les Hidatsas, la rive nord, les uns en face des autres. On estime que leur population totale, sur un territoire restreint, oscillait aux environs de 15 000 personnes à la fin du XVIIIe siècle. Ils étaient sédentaires, vivant dans de gros villages palissadés, cultivant le maïs, les citrouilles, les courges et les fèves. Il devait y avoir plus de vingt villages en tout, reliés entre eux par des chemins balisés. Ces deux peuples cohabitaient pacifiquement depuis très longtemps. Ils étaient riches et bien organisés. En plus d'une production horticole importante, ils jouissaient d'un milieu extrêmement généreux quant au gibier, tant en quantité qu'en diversité. Leurs maisons étaient des tentes coniques en peau de bison, habitations permanentes dans les villages au bord de la rivière. Avant de véritablement reconnaître le Missouri, les premiers traiteurs de la petite ville de Saint-Louis, parfois appelée Pain court en raison des pénuries fréquentes de farine, voyaient déjà dans la Mandanie un potentiel énorme de commerce.

Les Mandans et les Hidatsas avaient pour ennemis les Sioux de l'Ouest, les Tetons et les Mdewanktons. Ils souffraient aussi des incursions des Shoshones (Snakes), à l'ouest encore, et de la mauvaise disposition à leur égard des Assiniboines, au nord. Ils avaient cependant développé au fil des siècles un esprit de grande ouverture ; aussi accueillants envers les gens qu'envers les nouvelles idées, ils s'intéressaient à tout et traitaient fort bien les étrangers. Il n'en fut pas autrement avec les « Blancs », d'autant que ces derniers avaient tant à offrir en biens – marmites, haches, couteaux – et en savoirs. Lorsque les traiteurs atteignirent le pays des Mandans, ils touchèrent à la plaque tournante la plus importante du commerce dans le centre de l'Amérique du Nord. Mais cette ouverture mandane tourna au désastre : les épidémies tuèrent quatre-vingts pour cent de la population en seulement dix ans, de 1795 à 1805. Les Mandans magnifiques n'ont pas survécu aux chocs de l'histoire.

Le résident « blanc » le plus ancien de la Mandanie, dans le Dakota du Nord, est un Canadien de la vallée du Saint-Laurent. On ne sait pas grand-chose de lui, pas même son prénom, qui s'est perdu dans les limbes de l'oubli. Pourtant, bien des voyageurs l'ont connu personnellement, et au moins six d'entre eux ont parlé de lui dans leurs écrits de voyage. Les caprices phonétiques des anglophones le font appeler *Menor, Minore, Menawr.* Mais il s'agit assurément de ce Ménard qui voyagea du Québec vers le Dakota en 1778. C'était quarante ans après le séjour de La Vérendrye en ces lieux. Ménard, tout Canadien français qu'il était, devint un Hidatsa-Mandan ; il s'habillait comme eux, vivait comme eux, il avait même une femme hidatsa-gros ventre. Il demeura le reste de sa vie dans le Haut-Missouri, explorant les Rocheuses, le Montana, le Wyoming, avec ses amis hidatsas, sans que personne sache rien de ses allées et venues du côté britannique ou américain. Bien sûr, ses services devinrent précieux pour les entrepreneurs et les explorateurs, car il connaissait les langues amérindiennes, les cultures et le pays. Cependant, l'homme, qui exista vraiment, reste un fantôme pour l'histoire. Il ne savait pas écrire, évidemment, et se souciait-il d'immortaliser sa vie extraordinaire ?

Jean-Baptiste Lafrance fut le second coureur de bois à s'établir parmi les Hidatsas-Mandans, et il devint un partenaire et ami de Ménard. René Jusseaume ne mit pas de temps à les rejoindre. Mentionnons finalement l'arrivée en 1790 de Toussaint Charbonneau, le plus connu des quatre, l'époux de la mythique Indienne Sacagawea. Outre ce quatuor, il y eut d'Église et La Grave, et probablement Pierre Dorion le Vieux, qui connurent très bien Ménard pour l'avoir rencontré plusieurs fois et pour avoir voyagé avec lui. Le commerçant et explorateur de Saint-Louis Jean-Baptiste Trudeau le mentionne dans son journal, soutenant qu'il s'appelait François. Au nord, les gens de la Compagnie de la Baie d'Hudson qui entretenaient des postes de traite sur la rivière Assiniboine au Canada le connaissaient également et espéraient ses services de traiteur et d'interprète pour faire commerce avec les Mandans. Même chose avec les représentants de la Compagnie du Nord-Ouest, dont Ménard préférait le patronage, semble-t-il, peut-être parce que cette compagnie était de Montréal, son pays d'origine. Les villages des Mandans étaient très près de la frontière canadienne, à deux cents milles de Fort Assiniboine et encore plus près de Fort des Épinettes, dans la région de la montagne à la Bosse. Mais ces deux cents milles étaient fort dangereux puisque les Assiniboines, hostiles aux Mandans et aux Hidatsas, en interdisaient le parcours. Ménard a vécu vingt-cinq ans parmi les Mandans-Hidatsas. On a dit qu'il était très expressif et très comique. Par contre, il se méfiait des autorités, des commerçants et des militaires, n'étant vraiment à l'aise que parmi les autres coureurs de bois ou parmi les Mandans-Hidatsas. Il fut tué par les Assiniboines à l'automne 1804, lors d'un voyage de trappe. Il reste à écrire ce roman historique, ce livre intitulé *Ménard chez les Gros Ventres,* il reste à scénariser et à tourner ce récit fantastique, cette échappée d'un homme qui tourna le dos à sa propre société pour mieux passer du côté de la liberté, sur la planète mandane.

Les coureurs de bois canadiens-français, c'est bien connu, auraient donné leur âme – ou plus justement leur corps – pour aller vivre parmi les Mandans et les Hidatsas-Gros Ventres. Dans son journal, Jean-Baptiste Trudeau lève le voile sur ce mystérieux attrait : les femmes de ces sociétés étaient libres et belles, et totalement offertes. On comprendra ces hommes, échappés du carcan catholique, d'avoir voulu si frénétiquement atteindre la Grande Courbe du Missouri.

Je murmure et je marmonne un récit oublié, une géographie perdue. Voilà une autre Amérique, si profonde, si lointaine que l'Amérique elle-même n'en tient plus le compte. À qui vais-je raconter tout cela ? Et que dira le préposé aux bénéficiaires, en entendant ces histoires, dans la chambre B -594 du centre d'hébergement de longue durée, dans l'aile des grands délires ?

Le signe ostentatoire est un signe des temps

Une photographie ancienne sera toujours plus riche qu'une photographie récente. C'est que l'histoire gagne à tout coup son pari sur l'actualité. Les vieilles photos ont un je-ne-sais-quoi de révélateur, une profondeur de sens, un supplément d'âme, comme si le temps accumulait à leur surface des couches et des couches d'un vernis mystérieux : la patine de l'histoire. Voici la photographie d'un vieux mur. Ce pourrait être le mur du monastère des Augustines, à Québec, nous n'en sommes pas certains, mais la photo fut bel et bien prise le 11 juillet 1852, ce qui en fait un document précieux – car nous n'avons pas beaucoup de photographies de vieux murs datant de l'été 1852. Généralement, les murs ne parlent pas. Or, sur une photographie très ancienne, on dirait qu'ils ont des choses à dire. Après tout, c'est à leur face que nous nous lamentons, à leur pied qu'on nous accule, contre eux que nous sommes fusillés ; au bout du compte, c'est toujours eux que nous frappons.

Aux États-Unis comme au Canada, les gouvernements, conformément à la pensée officielle de l'époque – XIXe siècle, début XXe –, ont toujours cru que les Indiens allaient disparaître de la surface de la terre. Oublions le triste et fameux « *The only good Indian is a dead Indian* », phrase attribuée au général américain Philip Sheridan dans les années 1875, alors que les guerres contre les Sioux, les Apaches, les Nez-Percés, les Cayuses et les Modocs faisaient rage aux États-Unis. Les idées ethnocidaires des États modernes étaient beaucoup plus subtiles. Inutile de passer à l'attaque et de tuer des gens. La disparition annoncée des Indiens découlerait simplement de leur incapacité notoire à survivre aux exigences du nouveau monde : ils n'avaient ni le corps ni l'esprit faits pour s'adapter à la civilisation. Dès lors, leur extinction apparaissait inévitable et rien ni personne n'en serait jamais tenu responsable.

Devant ce déterminisme « scientifique », il parut convenable de prendre en photo des spécimens d'individus, pour le bénéfice des générations futures qui n'allaient pas avoir la chance de voir des Indiens en chair et en plumes. Comme à leur habitude, les Américains n'y allèrent pas de main morte. Le photographe Edward S. Curtis prit plus de quinze mille clichés d'Indiens, des vieillards, des femmes et des enfants, chefs célèbres ou visages inconnus, tous réunis sans le vouloir sur la liste des espèces en voie d'extinction. Ces photos sont devenues des images cultes, appartenant à une collection fort connue, souvent publiée, immensément diffusée d'hier jusqu'à nos jours. S'y retrouvent les portraits bouleversants de Geronimo, de Sitting Bull et de quelques autres grandes icônes de la mythologie américaine de l'Ouest.

Le Canada n'a pas eu cette idée de grandeur, mais cela revient au même. Si les photographies sont plus rares, elles existent néanmoins dans nos archives. Je pense à celle de Gros Ours, dit Mistamaskwa dans la langue crie, que l'on voit assis à l'intérieur de sa cellule, enroulé dans une misérable couverture, probablement à la prison de Winnipeg, en 1887. Il est malade, il s'apprête à mourir de peine, l'appareil photo immortalise le visage d'un homme qui subit une défaite indicible, un prisonnier dont les yeux reflètent la tristesse ultime de l'humain emmuré. Gros Ours a dit à peu près ces mots : « Nous étions si beaux, nous, les Indiens, nous étions si forts, si nombreux lorsque vous, les Blancs, vous êtes arrivés, misérables, souffreteux, gelés, affamés. Nous vous avons accueillis, nourris, réchauffés, soignés. À présent, vous êtes beaux, forts, nombreux, alors que nous sommes misérables, souffreteux, malades et découragés. » Gros Ours fut aux Cris ce que Gabriel Dumont fut aux Métis, un révolté. Nous avons aussi une très belle photographie de Gabriel Dumont tenant la bride de son cheval ; il regarde l'objectif en se tenant droit et immobile comme un guerrier d'un autre monde, celui qui sait sa cause aussi juste que perdue.

Le combat de Dumont et celui de Gros Ours n'apparaissent guère comme les faits les plus marquants de notre mémoire collective. Qui d'entre nous saurait reconnaître les grands acteurs du drame qui s'est joué aux fondements mêmes de la naissance du pays ? Isapo Muxica n'est pas non plus un nom familier dans la culture de notre monde. Même sous son nom populaire de Crowfoot, en français Pied de Corbeau, on le retrouve bien peu dans le récit national. C'est pourtant un de nos grands personnages. Isapo Muxica fut un chef de la nation des Siksikas, mieux connus sous l'appellation de Pieds-Noirs. Ce peuple vivait dans le sud de l'Alberta, au nord du Montana, ses gens chassaient le bison, vivaient nombreux et prospères dans les grandes plaines. Lorsque disparurent les troupeaux de bisons, lorsque le gouvernement fédéral proposa des traités et créa des réserves indiennes, lorsque les colons s'emparèrent de toutes les bonnes terres dans le temps qu'il faut pour descendre du train, les Pieds-Noirs frappèrent de plein fouet un mur. Tous, Gabriel Dumont, Isapo Muxica et Mistamaskwa, sont réunis depuis dans un même album photo, celui qui illustre la fin brutale des libertés amérindiennes dans l'Ouest canadien.

Reportons-nous en 1885. Le Canadien Pacifique vient tout juste de compléter sa promesse d'un pays nouveau en plantant le dernier clou fixant le rail ultime sur les derniers dormants de la voie ferrée transcanadienne. En matière de grandeur nationale, nous n'avons pas dépassé celle de la construction d'un chemin de fer, le dégagement de ses emprises longilignes, la percée de ses tunnels, l'assemblage de ses locomotives et de ses wagons. Cette construction fut une corvée multiculturelle et tragique qui coûta la vie à six cents Chinois, pour le seul tracé de la Colombie-Britannique. Les Chinois furent quinze mille à s'éreinter, à travailler comme des forçats pour mettre au monde ce grand pays de métal et de charbon, *a mari usque ad mare.* Mais tout aussi nombreux et anonymes furent les Italiens, Ukrainiens, Noirs, « Canadiens », Irlandais, Écossais, Algonquins, Ojibwés, Métis, tous ouvriers martyrs de la construction du Dominion du Canada. Cependant, à la gloire des politiciens corrompus et en l'honneur de la caste des chapeaux haut-de-forme de tout acabit – en feutre de castor –, on célébra la grande cérémonie de l'achèvement de la voie ferrée sans inviter un seul Chinois, et encore moins un Algonquin. La grande œuvre permettait désormais de vendre lot par lot le Canada, c'est-à-dire des millions et des millions d'hectares appartenant aux grands actionnaires du CPR, à des centaines de milliers d'immigrants qui allaient bafouer les Indiens et les Métis. Le Canada fut d'abord un Canadian Railway avant de devenir un Canadian Tire.

Parce que les Pieds-Noirs n'avaient pas fait obstruction au chemin de fer et parce qu'ils avaient refusé de participer à la rébellion de Gabriel Dumont, d'Esprit Errant et de Gros Ours, soulèvement qui mettait en péril les valeurs du Canadien Pacifique et du premier ministre du Canada – deux faces d'une même pièce d'argent finalement assez malpropre –, le pays a voulu récompenser ses bons Indiens.

Messieurs Donald Smith (Lord Strathcona), William Cornelius Van Horne et George Stephen, les grands gourous de ces affaires ferroviaires, invitèrent les chefs indiens de l'Alberta à faire un beau voyage en train, dans un wagon-palais, de Calgary à Québec, en passant par Montréal et Ottawa. En 1886, les Montréalais et les Québécois purent rencontrer de « vrais » Indiens des Plaines, Pied de Corbeau, Trois Bœufs, Corneille Rouge, Plume de la Queue de l'Aigle, La Tache, et quelques autres. Le spectacle en valait la peine. À Québec, le photographe Jules-Ernest Livernois tira le portrait d'Isapo Muxica, dans ses plus beaux atours. Cette photo de 1886 se classe parmi les classiques du genre. Le chef des Pieds-Noirs porte un costume fort étudié, un chapeau, des plumes, des cordeaux, un bâton de parole, des objets fétiches, il est d'une générosité ostentatoire qui frise le baroque. Évidemment, cette photographie est une pure mise en scène. Mais derrière cette explosion de signes, on devine l'ampleur de la peine, la présence d'un doute. Dans les mêmes années, Livernois photographiait d'autres gentils Indiens, les Hurons de Lorette, le chef Vincent et la famille Gros-Louis, notamment. Il captait aussi des cabanes montagnaises à La Malbaie et d'autres campements dans les environs des Îlets-Jérémie ou à Godbout. Dans tous les cas, ces images ont du poids, et en premier lieu il s'agit du poids de la nostalgie. Ces visages, ces costumes, ces scènes se retrouvent désormais de l'autre côté du mur, là où les âmes brisées comptent leurs morceaux.

Isapo Muxica mourut en 1890, quatre ans après la prise de la photo à Québec. Il avait bien fallu que les cérémonies finissent et que le train du Canadien Pacifique revienne à Calgary. Il en était descendu, avait retiré son costume et était retourné vivre à la Traverse des Pieds-Noirs, la réserve de son peuple, condamné à l'oisiveté, à la solitude et à l'oubli. La tuberculose, la scarlatine, la malnutrition et la misère lui avaient ravi ses épouses et la plupart de ses nombreux enfants. Isapo Muxica constatait sûrement ses erreurs : celle d'avoir signé le Traité numéro sept, celle de ne pas avoir suivi Gabriel Dumont, Gros Ours et Esprit Errant dans leur mouvement de révolte, celle d'avoir traversé le Canada dans un wagon-palais pour se faire photographier en grand apparat alors que son peuple se mourait. Il était entré au panthéon des visages tristes pris en photo par les visages pâles.

Le signe ostentatoire est un signe des temps. Entre 1880 et 1920, nous avons voulu voir les Indiens dans leurs costumes les plus extrêmes, toutes plumes au vent, afin de mettre en images, pour la postérité, les accoutrements fondamentaux de l'amérindianité nord-américaine. On devine le chaman, on imagine la danse de la pluie, la danse de la femme-bison, les festins enfumés, l'animisme foncier des nomades, et tant d'autres spectacles du festival touristique des Indiens du Canada tels qu'ils se donnaient en 1885, déjà, à la station de Banff où allait se divertir le gratin de la société anglo-saxonne du temps. Or ces Indiens comédiens, ces Indiens de théâtre, en studio ou sur les belles pelouses fraîchement coupées des grands hôtels victoriens, c'étaient bel et bien les Pieds-Noirs d'Isapo Muxica. Les vieilles photographies parlent plus que les photographies récentes, en effet. Il suffit d'un cliché, celui d'Isapo Muxica par exemple, pour apercevoir d'un seul coup, dans l'histoire, la puissance d'un train, la dureté d'un mur, la mort dans une âme.

Moi, en mai 2006, à Simo Sagahigan

Cette vieille Indienne au visage ridé pleure dans mes bras tandis qu'un chien me renifle les pieds. Je viens de fermer mon micro, la conférence est terminée. Le DJ s'active, la voix de Willie Nelson s'élève dans l'énorme chapiteau blanc dressé au centre du village, où la communauté algonquine de Simo Sagahigan–Lac-Simon s'est rassemblée une journée entière pour renouer avec son histoire. Dans les premières rangées, on a mis des banquettes d'automobile en cuirette bleue pour asseoir les vieux et les vieilles, comme dans une loge, sous les bons soins des plus jeunes qui se sont assurés qu'ils ne manquent de rien. À ma gauche, la cabine de l'interprète qui a traduit mon propos en algonquin, sept heures durant. Au fond de la tente, de longues tables, des marmites, des feux où cuisent les outardes, le doré, l'orignal, le lièvre, la perdrix. Devant moi, clouées à leurs chaises en plastique, au moins quatre cents personnes, secouées, comme après un séisme. Elles m'ont écouté religieusement tracer le portrait de la grande Algonquinie, raconter la tragédie coloniale des Anishinabes, *leur* tragédie. Du thé, des cigarettes, des émois, des étonnements, des recueillements, des rires d'enfants courant partout, des chiens libres. J'ai terminé. Lentement, les gens se lèvent, se mettent en file. Une à une, les petites vieilles, plissées comme des roches précambriennes, me prennent dans leurs bras, elles pleurent, elles me serrent très fort. Je suis épuisé, tremblant d'émotion. Je me souviens, Willie Nelson chantait avec sa voix fêlée : « *You were always on my mind… you were always on my mind.* »

Épilogue

L'humain, les yeux ouverts

Qu'ai-je vu dans le camion de mon oncle ? J'avais dix ans et j'aurais très bien pu regarder ailleurs. J'aurais pu ne pas le voir, cet objet ordinaire, perdu entre deux poteaux de téléphone, un simple camion stationné dans la rue. Mais voilà. J'ai aperçu plutôt la tête ronde et inoubliable d'un Mack modèle B, le visage attachant d'un tracteur de semi-remorque très commun dans ces temps-là. Sans réfléchir, aussi bien dire naturellement, j'ai vu la vie dans la machine, ses yeux, son nez, ses épaules et son cœur. La bête était là, devant le logement familial, alors que mon oncle Georges était venu prendre un café et jaser avec ma mère. L'animal se reposait, le métal de son nez dégageait un fin nuage de vapeur dans l'air froid au-dessus du capot, je sentais la force, l'énergie, le diesel ; même éteint, le grondement de son gros moteur résonnait encore dans ma tête.

Accoté sur mon vélo pendant une longue demi-heure, j'ai vu loin, plus loin, j'ai vu la route, le monde sauvage des grands espaces, j'ai vu la nuit, le froid, les constellations, j'ai entendu le hurlement du camion dans les côtes, son travail et son usure, j'ai vu tout ce que ces yeux emmagasinaient d'images, l'orage, l'orignal, le renard, un faisceau de lumière et des abîmes de noirceur, la poudrerie, la tempête, les couleurs ensoleillées de l'automne, le mulot. Je me disais, imaginez, ce camion a vu Val-d'Or ! Voilà le vaisseau de la liberté, la cabine de la grande évasion, des histoires qui déferlent et déferlent. Et mon oncle, ce bel homme, le chauffeur de la machine.

Qu'ai-je vu dans l'autobus Canadian Car de la ligne 86, en 1961 ? J'avais quatorze ans, j'aurais très bien pu n'y voir qu'un vulgaire véhicule public, un passage obligé, le tombereau des pauvres. J'ai perçu plutôt une forme irrésistible, le dessin sublime de la résolution, de la fidélité et de la routine. La poésie de la vie quotidienne est la plus forte, elle demande une prouesse peu commune : animer l'ordinaire et le répétitif, donner une âme au désamour du monde, faire honneur aux décors de sa propre vie. Cela, encore, vient tout naturellement. Au terminus, tu attends l'autobus. Il apparaît soudain, pareil à lui-même, compagnon de fortune, animal domestique qui tourne en rond, la machine qui partage ta fatigue, ton espoir et tes ambitions, le transporteur de milliers de destins semblables au tien. Un autobus urbain, ce n'est rien, mais dans la succession des stations d'un chemin où chacun porte la croix de sa peine journalière, ce rien se révèle souvent plein de sens. Et il y a plus. J'ai vu des chauffeurs aux cheveux blancs qui mettaient des gants pour conduire et empoigner le gros volant, qui ajustaient leur cravate et leur képi, c'étaient des capitaines, des commandants, les guides de la légion des petits ouvriers et des pauvres écoliers.

Qu'ai-je vu dans cette épinette noire malingre, ce chicot mal-aimé, ce vénérable inaperçu de l'invisible Nord ? J'y ai vu toute la résilience du monde, la grise grisaille des jours de peine, les piliers rabougris du temple des corbeaux. Ces épinettes prient, elles se recueillent, ce sont des carmélites de l'ère glaciaire, elles croissent et se tordent dans le désordre de l'antique sacralité. Elles dessinent les contours de la mélancolie, ce sont des horizons de petites et de grandes réminiscences. La nostalgie ne nous donne pas le choix : elle est là, la courbe du temps qui passe. Le subarctique est une chambre froide où se conservent les plus anciens souvenirs de l'histoire humaine. Nous sommes ici au degré zéro de la communauté. La terre enregistre patiemment les traces de nos pas, elle imprime les liens qui nous lient, elle se souvient même des traces des raquettes, de la buée qui sortait de la bouche des marcheurs, du son rythmé des souffles de chacun. Ici sont nées les familles, ici elles ont survécu. Aidons-nous les unes les autres, nous partageons toutes les mêmes efforts, les mêmes chasses, les joies, les risques et les déceptions.

Voilà bien l'ultime liberté. Les animaux ne sont pas que des animaux, les machines sont plus que des machines, imaginez les gens, l'amitié, l'émotion. La poésie est un impensable raccourci qui donne accès au cœur multiple des choses. Une société amputée du pouvoir de sacraliser le moindre détail de son être est une société pauvre, constamment en crise de sens. Elle s'agite dans le vide de son instrumentalité, elle se perd dans le creux de ses calculs comptables. Cette société d'entrepôts, d'autoroutes et de grandes surfaces ne voit que la froideur de sa *terra rasa.* Qui chantera la solitude du goéland perché sur le lampadaire de cet immense stationnement ?

* * *

Comment définir l'intangible, capturer une image qui s'échappe constamment dans les marges ? Car la poésie, je le dis encore, est un acte de liberté. Nous sommes libres de créer le monde qui nous entoure, l'humain est essentiellement un créateur de mondes. La conscience vient avec cette qualité : l'imagination créatrice. Tu donneras vie aux barreaux de ta prison, tu t'évaderas par la fenêtre ouverte de ton imaginaire, rien ne peut t'empêcher de te recueillir devant une pierre humide, devant une clôture de broche, rien ne t'interdit de résister jusqu'au dernier coup d'œil.

Or, depuis l'époque des dieux uniques, des marchés internationaux, de l'accumulation des trésors, de la multiplication des biens, la conscience humaine s'est graduellement érodée. Elle se rabat sur le calcul, l'angle droit, la causalité, la rationalité, l'objectivité, toutes les coutures de ce manteau qui s'appelle la chape du pouvoir et du progrès. Nous sommes devenus unidimensionnels, c'est-à-dire redevables au réel, esclaves de l'empirie. Le prix de ce succès libéral et économique est énorme. L'histoire récente se présente comme une succession d'amputations et de sacrifices. Nous avons désenchanté le monde, perdu le sens de sa beauté, liquidé notre héritage de merveilleux, neutralisé l'efficacité symbolique de nos rapports aux objets, à la vie, à la mémoire. En principe, créer de la richesse économique ne devrait pas s'opposer à la création de la beauté. Mais force est d'admettre que la machine infernale en est rendue là : rien n'arrête le progrès.

* * *

L'humain, au temps où il avait les yeux ouverts, a toujours vu les mille facettes d'une chose, les mille sens d'un mot, les mille visages des bêtes, les mille couleurs d'une plante, ainsi que les liens mystérieux qui unissent le fer à l'étoile, le brouillard à l'arbrisseau, la montagne à la mort, la mort au corbeau et le mélèze à l'enfantement. L'anthropologie nous enseigne que les chiffres anciens étaient magiques, qu'il y avait un tableau des correspondances poétiques entre tous les éléments de la nature, que les arbres avaient charge symbolique, que les animaux et les étoiles se rejoignaient dans des assemblées nocturnes et que chaque geste s'inscrivait dans la démarche sacrée d'une âme en train de suivre une voie.

Nous avons raconté des mythes et des légendes autour d'un feu commun, nous avons ensemble mimé notre vie et fixé les règles du vivre-ensemble. Ce premier droit coutumier ne faisait pas de distinction entre la poésie et le monde. La communauté, son histoire, ses outils, ses courses, ses maisons, ses naissances et ses morts, tout existait dans l'ordre d'une poétique qui donnait vie à l'épée, un visage à la gargouille, une fonction protectrice à la branche de sapin, un sens à la mort de l'oiseau, un pouvoir à la pierre noire et une raison à l'antre de marbre dans les montagnes blanches du royaume des caribous magiques. La pensée originale a le penchant du beau, elle appréhende une totalité, là où l'ourse est ma mère, où les bouleaux sont des jeunes filles mortes enveloppées d'une écorce blanche, où les canots volent dans les nuages de la nuit, où des larmes de fantômes fuient les esprits malins, et ce sera le brouillard qui court à la surface des lacs, aux aurores d'octobre.

* * *

Un monde coupé de sa source poétique est un monde brutal, un monde dé-solidarisé et dé-couragé, dont le projet est essentiellement réduit à un tournoi quantitatif. Une société d'unités discrètes, de cellules isolées, de boîtes et de cubicules, de flèches et de cibles, d'objectifs et de mesures, le village épuré du *on/off*, qui donne un si beau confort technique, un divertissement si parfait, l'engourdissement suprême qui étourdit le client et paralyse la volonté collective. Alors, le discours public se tarit, les correspondances se perdent, et chacun résiste comme il peut dans son coin. À l'inverse, on attend d'un projet social qu'il autorise le rêve. Le droit de rêver la vie que nous espérons pour nous et pour tous est un droit politique.

Ce n'est pas au monde de définir la poésie, c'est la poésie qui définit le monde.

Note bibliographique

Tous les textes rassemblés dans ce volume ont d'abord été publiés dans la revue *L'Inconvénient,* à l'exception de « Monique de Santa Monica », « Voyage au bout de l'espérance » et « Le lac Ferme ta yeule » (qui sont inédits), et de quelques textes parus ailleurs : « La voix de monsieur Doucet » (dans *Une vue du champ gauche,* dirigé par Marc Robitaille), « Le bâton de vieillesse est un bâton mérité » (dans le magazine *Québec Science*), « Le courage du camion » (dans *Objectif Nord. Le Québec au-delà du 49*[e], de Serge Bouchard et Jean Désy), « La grande tortue sacrée de la rue Pie-IX » (dans *Stadorama,* dirigé par Catherine Mathys), « Moi, en mai 2006, à Simo Sagahigan » (dans le magazine *Nouveau Projet*) et « L'humain, les yeux ouverts » (dans *La Vie habitable,* dirigé par Véronique Côté).

Table des matières

Crédits et remerciements

Les Éditions du Boréal remercient le Conseil des arts du Canada pour son soutien financier ainsi que le Fonds du livre du Canada (FLC).
Canada

Les Éditions du Boréal sont inscrites au programme d'aide aux entreprises du livre et de l'édition spécialisée de la SODEC et bénéficient du programme de crédit d'impôt pour l'édition de livres du gouvernement du Québec.
Québec

Photographie de la couverture : tous droits réservés

Ce livre a été imprimé sur du papier 100 %
postconsommation, traité sans chlore, certifié ÉcoLogo
et fabriqué dans une usine fonctionnant au biogaz.

MISE EN PAGES ET TYPOGRAPHIE :
LES ÉDITIONS DU BORÉAL

CE TROISIÈME TIRAGE A ÉTÉ ACHEVÉ D'IMPRIMER EN DÉCEMBRE 2016
SUR LES PRESSES DE MARQUIS IMPRIMEUR
À MONTMAGNY (QUÉBEC).